S0-BME-853

球兵

闻默◎著

图书在版编目（CIP）数据

球兵 / 闻默著. -- 北京：华夏出版社, 2019.7
ISBN 978-7-5080-9649-0

Ⅰ. ①球… Ⅱ. ①闻… Ⅲ. ①长篇小说－中国－当代 Ⅳ. ①I247.5

中国版本图书馆CIP数据核字(2019)第004576号

球兵

作　　者　闻　默
责任编辑　许　婷

出版发行　华夏出版社
经　　销　新华书店
印　　刷　三河市少明印务有限公司
装　　订　三河市少明印务有限公司
版　　次　2019年7月北京第1版　2019年7月北京第1次印刷
开　　本　880×1230　1/32开
印　　张　8.75
字　　数　185千字
定　　价　49.00元

华夏出版社　网址:www.hxph.com.cn 地址：北京市东直门外香河园北里4号 邮编：100028
若发现本版图书有印装质量问题，请与我社营销中心联系调换。电话：（010）64663331（转）

献给当年那群快乐的球友和
一段难忘的部队生活

目 录

序 言

认识李维嘉已经是二十多年前了，那时我在洛杉矶拍摄《不见不散》，他是我们的制片，每天拉着我颠沛在洛杉矶的各个方向选景，同时举一反三教我一些简单实用的英语。比如和美方制片说说第二天的“死该纠”(schedule)，AM“输停阴赛”(shooting inside)，PM“输停奥特赛”(shooting outside)之类的话。他给我留下的深刻印象是，个子很高大，面膛儿很红润，声音很宏亮，心情很健康。我们都叫他“威科特－李”(Victor Lee)。维嘉是北京人，更主要是他的乐观热心，我们成了好朋友。

自那以后他辗转于世界各地，时隐时现，这两年他和家人居住在纽约，写了一本书《球兵》，才想起来他也当过兵，我们这代人的经历真是大抵相同。那时是先军时代，部队应有尽有，每个军、师除了有文艺宣传队，还有体工队，体工队里又分篮球队、排球队、足球队和乒乓球队，和宣传队一样都是从地方上拔尖招上来的专业人才，很多只有十四五岁，但都是身怀一技之长。和电影《芳华》的故事和人物一样，体育兵也在部队的熔炉里锤炼，为部队奉献了他们的芳华。青春往事、蹉跎岁月，我们这一代人的经历有必要让更多的人知道。

维嘉，祝贺你。

前　言

在中国人民解放军序列中有不同的军种，如陆军、海军、空军以及近年由“第二炮兵”演变而来的火箭军。此外还有不同的兵种，如文艺兵和体育兵。

“球兵”就是体育兵中的一种。他们身着军装，佩戴领章帽徽，享受同连队战士或者部队干部一样的待遇，但是他们不配发枪支，更没有弹药，他们有的只是足篮排球，或者是乒乓球。他们的任务据说是为了更好地开展部队的体育活动，为基层连队服务，其实连队战士，特别是那些在边远地区服役的战士，绝少能有亲眼见到这些球兵展示才艺的机会。

没有人可以说清楚解放军中的这支“球兵”队伍是什么时候成立的，以及其演变过程，甚至在无所不知的百度上也根本查不到“球兵”这个词条。然而作为一个特殊的群体，他们的的确确、生龙活虎地存在于各个部队，不论是在军级单位还是在师团，人们都可以不时地看到他们矫健的身影。

《球兵》是以“纪实文学”的方式讲述了一支野战军排球队诞生、成长、取得胜利和解散的过程，书中提到的那些有名有姓的人物都真实存在，记录的都是他们的故事。时至今日他们中的大多数人仍然健康快乐地生活在我们中间，时常向身边的家人和远方的朋友讲述他们过去的故事。

第一章 三十年一聚

时间：二零零六年 春节刚过

地点：北京 东城 华彬俱乐部

建国门外长安街路南的一条不出名的小街上坐落着华彬俱乐部。这是一幢外墙用紫粉色的玻璃幕墙装饰的大楼，它体积庞大、结实、厚重，相形之下它门前的街道显得非常狭窄，过往车辆拥挤不堪，在不耐烦的喇叭声中驾驶员机智果敢地抢道前行。

俱乐部大厅内飘荡着轻柔的古典爵士音乐，地上铺着厚厚的长绒地毯，这里异常安静怡人，站在大门内的服务员和门卫也都用压低了的声音问候进出的客人。

梁歌挺着肚子走进大门，对一旁的门卫和服务员不理不睬，站在那里目视着几乎是空无一人的大厅。他先用右手把叼在嘴里的雪茄烟拿下来，然后才开口说：“严瑛啊，今天晚上估计要搞得很晚，你先让司机去吃饭吧，等要走的时候我让服务员给他打电话。不过也别让他走得太远了，免得到时候回不来了，OK？”

“好的，梁律师。”跟在梁律师身后仅半步远的女秘书轻声应道，同时接过梁律师脱下来的驼色风衣，顺手递给了早已等在旁边的服务员，风衣内衬上 London Fog 的黑白两色商标一闪而过。

“那你也回去休息吧。明天去办公室的时间一会儿我告诉司机。”

“谢谢，梁律师。”女秘书稍稍弯了一下腰，“您饭前和饭后的药我已经交给服务员了，到时候他们会提醒您服用，放心好了。”听到梁律师“嗯”了一声，女秘书轻快地转过身，迈着碎步朝大门走去，高跟鞋的后跟在地毯上留下一连串不深不浅的印迹。

“嗯，等一下！”梁歌律师忽然又叫住了她。

“您请说。”说话间女秘书就像一阵清风飘回到梁律师的身边。

“今儿晚上要不就不走了吧，就住这儿。你让他们把我的房间准备一下，然后你和司机一起回去吧，有事儿明天我微信你。”

“好的，房间的事情我现在就去办。您看还有什么要吩咐的吗？”看到梁律师轻轻摇了摇头，女秘书这才又转过身，快步朝服务台走去。

梁律师侧过身，对一直站在身旁的一位满头白发的男人说了声：“那咱们上去吧。”说完二人迈开大步朝楼梯走去。他们没乘电梯，沿着宽大的环形楼梯走向二楼。梁歌边走边向他身边的那个人仔细地介绍墙上挂着的那些大幅彩色照片——都是俱乐部老板严彬和各国领导人以及各界名流的合影。照片上的人各个精神焕发，红光满面，脸上带着灿烂的笑容。

二楼这间餐厅布置得豪华，大单间，高屋顶。上面吊下一盏硕大的水晶灯，玲珑剔透。一张圆桌摆放在餐厅中央，桌上有一个五彩缤纷的花篮，里面插满了从南方空运来的鲜花，花瓣上挂着晶莹的水珠。餐桌周围摆了十来把椅子，椅子上罩着金黄色缎套，与房间的富丽格调相呼应。垂落在地的窗帘半开着，透进京城夜晚璀璨的灯光。靠墙放了几张米黄色皮沙发，上面歪七扭八地坐着一群男人，长头发，衣着不整，有的在抽烟，有的在高谈阔论。餐厅角落里还有几个人站在那里，手拿饮料在低声谈话。几位身材高挑的年轻女服务员在餐厅里进进出出，添茶倒水，清理烟灰，服务周到利索，没有声响。

晚餐时间订的是六点半，餐厅内的落地钟这时候刚刚敲响了七点。先到的这些客人开始等得有点儿不耐烦，不时传来阵阵抱怨声，就在这时候餐厅的大门被服务员一下子推开，歪躺在沙发上的鲁圣首先看到梁歌进了门，便一下子坐了起来大声喊道："你丫怎么才来呀，都几点了我说，你是想把我们老哥儿几个给饿死啊怎么着？"鲁圣人极瘦，灰白的长发遮住了半边脸，露出另外半边那高高凸起的颧骨。

"别急，别急，这叫'饭好不怕迟'嘛。"梁歌满脸堆笑地说着，同时眯着眼睛扫了一下餐厅里的人，问道，"这人都到齐了吗？"

"男排的基本都齐了，马志和靳华联系不上，宣明和老郝人在山西，其他人都到了。不过就他妈田地叫得欢，结果这么晚了丫还没露面儿呢。”

“晚了吗我？”声音未落，那个一直跟在梁歌身后的男人也大步走进了餐厅。“这不是女排的一个还没到嘛！”说着他走过去同餐厅里其他人一一打招呼。走到一位穿着军礼服的军官面前，田地停住脚步，仔细打量着他的肩章，说：“这么多的金豆子，一定是将军了吧？”

“哪儿啊，我是文职三级，也就算是个大校吧。”身着军礼服的人回答说。

“大校，那也算是个师长旅长的了。”说完，田地找了个空位子坐下，回过头又问，“鲁圣，你刚才说马志和靳华找不到了，马志平时跟咱们联系本来就不多，这靳华和我们可是同一个中学，而且住得离梁歌家不远啊。”

“是离我们家不远，不过他们早就搬走了。可能是因为他爸离休又有别的房子住了。他们家那条胡同也早就拆了，现在成金融街了。”

“靳华他爸是装甲兵的副司令吧？”晓伟问。

“不——是，是海军装备部的部长，OK?”

“反正是部队里的大官。咱们去山西前，他们家就住在一个四合院里，灰砖墙围着，特高，有一个大铁门。我记得他家还有辆小汽车，好像是辆伏尔加，你想想。”晓伟说。

“老早以前我倒是也托人找过靳华。人家告诉我说他留下的地址和电话都不完整，估计是不想再和咱们联系了。哎，鲁圣，说了半天这女排的你到底找到几位啊？”

“你先别管我找着几个，反正找着了你最想见的人。”

“真的？！”这下田地高兴了。田地常年住在美国，难得回北京一次，每次回来他一定要把大家召集起来撮一顿。不过每次前来参加聚会的总是这几位男排队员，从来没见过女排的。想当年他们男排和女排队员一起训练打比赛，这一分开马上就快三十年了，怎么说也应该见一面聊聊天嘛，更何况大家都是北京人，住在同一个城市里，怎么可能就聚不到一起呢？

“最想见谁呀他？”坐在沙发上的大成扭头问他身边穿军礼服的赵彬。

“这他妈还用问，肯定是何榕啊。”赵彬咧着嘴大笑起来。

听到在说何榕，站在房间另一头的小孟高声问道：“何榕怎么样了？自从复员一直就再也没见过了。”

“咱们这里的人谁也没再见过她。”赵彬回答得很干脆。

“鲁圣你也没见过吗？”戴着黑边眼镜、一身干部打扮的邹峰追问了一句。

“我上哪儿去见呀？就是见过我也不敢说呀我。”鲁圣不怀好意地冲着田地一努嘴。邹峰知趣地不再提了，可是小孟却不管不顾地说：“那天晚上田地哭得呦，泪如雨下，简直是伤心透顶了。”小孟说话的声音很大，满屋子的人都能听见。

“他是得哭，要处分他还能不哭？”梁歌得意地说，“这事儿你们都不知道吧？是我当时代表团支部找他谈的话。”

“哎，哎，我怎么不记得有这事儿啊？”和小孟一起站在角

落里的晓伟好奇地问道。

“你哪儿能什么都知道啊？”他身边的小文戗了他一句。

“他应该知道！他是文书，你忘啦？”

“就是嘛，还是邹峰说得对。我是文书！全世界有几个文书，啊？”晓伟自豪地反唇相讥。

“就你一个，就你一个。”小文假装谦卑地附和着。

“你们哥儿俩凑在一块儿，肯定就没好事儿。”半躺在沙发里的鲁圣说。说完他从沙发上坐了起来，走过去找小孟要了火，把那根看上去就像枯树枝的烟点上。半躺在那里不觉得，可鲁圣一站起来立马看出他的身高可不矮，总有一米八九的样子。不过身上瘦得几乎就没什么肉，不管是瘦肉还是肥的，所以就显得更高。

“行啦，这女排的人都在哪儿呢，怎么到现在连个人影也没有见着啊？”田地把话题岔开。他现在不想谈论何榕的事情，更不想让这件事成为大家聊天的话题。虽说过去好多年了，这事一直在他心里，不但没有忘记，反而随着年龄的增长越来越经常地浮现在他的脑海里。何榕的事对他本人曾有过很大的影响，可是他一直没有搞清楚这事对何榕本人到底有什么影响。这次回北京他想见见女排的队员，这也是其中一个重要的原因。

“呦，着急啦？”

“嘿，书第也开起我的玩笑来啦？你是咱们队里最小的一个吧？”

“不——是。”梁歌拖长了声调否认，“赵彬最小。”

“我哪儿是最小的？书第比我小！其次是小文。不过你的腿到底是怎么了这是？上次见你还没有拄拐呢。”赵彬关切地问。

“在部队蹲杠铃蹲的。”书第耸了一下肩膀说，“好几百公斤的杠铃，一蹲就是十几次二十次，就是有四条牛腿也受不了啊，现在几乎不能走路了，只能拄拐，快成废物了。”书第语调平静，脸上带着一种无可奈何的笑容。

“当时你丫练得太狠了。”赵彬叹息道。

书第没有再接着往下说。当年他心里当然知道不应该这么玩儿命练，可在二传手里他是个子最矮的一个，不多蹲杠铃增加弹跳力，那能行吗？

“我说都七点多了嘿，她们女排的也该到了吧？”邹峰催问道。

“小唐子说她们女排的人到了，先在楼下大堂会齐，然后给我打电话，让我下去接她们一起上来。”

“哟，刚才和梁歌上来的时候，我好像看见大堂的电梯间那边站着几个女的，又高又壮的。”

“那肯定就是她们了。我下去看看。”说着鲁圣起身，甩开大步走出了餐厅。

“可是她们看上去怎么都像是一群大妈呀。”田地在心里纳闷儿，不过没把这话说出口。二十多年没见过面了，说人家女排队员是一群大妈好像不太应该。再说了，看看身边的这几位，也不都已经是“大爷级”的了吗？那就别再说别人了。这么想着他把话题转到鲁圣的身体上。“鲁圣他也太瘦了，几乎皮包骨头了，

别是得了什么病吧，或者他也吸了粉儿啦？”田地这么问是因为他所熟悉的影视圈里的人，有一些和他说过类似的传闻，所以他会这么想。

其实赵彬对鲁圣的情况最了解，都是一同在北京军区待过的人。虽说鲁圣考上了北体大后离开了部队，但是始终没有离开体育圈，而且至今仍然还很活跃。他在北京包租了几个体育馆，开办体育训练班，组织各种比赛，还经常去外地，风风火火的，他钱也挣得不少。就连老郝他们带队路过北京，他也一定要找机会见面喝酒聊大天。可是赵彬对田地的问话来了个一言不发，只当是没听见。这下大家只好你看我我看你，没人接下茬儿，小孟见状连忙说：“鲁圣丫没病，也没吸粉儿，就是烟瘾极大，一天至少两三包。人就是这样，越抽越瘦。不过他还是老样子，爱打架。你们都记得吧？八四年，咱们参军十周年纪念，一起在新侨饭店吃西餐。那次队里的人基本上都去了，好像就差了梁歌。吃着半截儿饭鲁圣突然起身出去了，过了好一会儿才回来，说是在外面差点儿跟旁边那桌的人打起来，因为旁边那桌人走的时候把他的皮手套给顺走了。”

“对了，今天晚上吃饭的时候，各位千万别在鲁圣面前提领队，一提他就火冒三丈。”赵彬这才补充说。有一次老郝带队路过北京，跟鲁圣说领队已经从六十三军调到了石家庄步校，鲁圣马上就从军区给步校打了个电话，还真找到领队了。领队一听鲁圣说要见见，赶紧一个劲地说好话，还说路远要鲁圣千万别来。鲁圣说没关系，你等着，我放下电话就过来。说完鲁圣带了人开着他那辆美军大吉普就去了石家庄。在步校里转了老半天也没找着领队本人。“不过幸亏没找着领队，要不然准得把丫暴打一顿。”赵彬讲得眉飞色舞、绘声绘色。

“可领队他和鲁圣没有多少接触吧？我记得领队来的时候，鲁圣已经调到军区去了吧？”大成不解地问。

“鲁圣可不管那一套，看谁不顺眼就动手。我不是还跟他打了一架嘛？”邹峰一边说一边直摇头。

“快别提你们哥儿俩打架的事儿了，一提起来我就头疼。”小文用双手捂着脑袋。

“不过我说这鲁圣怎么还不回来啊？一去不归啊他这是。”

“把女排的人都拐跑了吧他？”

“没准儿是到别的房间另开了一桌，然后把账算到咱们这儿。”

“哎，算就算吧，反正今天是梁歌请客不是吗？”晓伟大大方方地说。

梁歌一句“我日你姐夫的”还没有说完，就被赵彬打断了。“别说了，别说了你们，她们好像来了。”赵斌的话音刚落，餐厅的两扇大门就被服务员“哗”地推开了，一下子走进来一群人，各个高大健壮、挺胸抬头，眼睛放光，看那个架势像是做好了马上要同什么队打比赛的准备。见此情形男排队员连忙起身，他们知道这一定就是当年的女排队员了，可一时又叫不出她们每个人的名字，只好站在那里发出一阵阵“哎呀”“啊呀”的感叹声，掩饰自己的尴尬。

“这都是谁呀这是，怎么一个都认不出来啦？”梁歌不管那一套，率先扯着嗓子喊了起来。

“别着急，别着急，来来，我给你们挨个介绍一下。”走在前面的鲁圣连忙说，“这是冰馨，二传，女排的队长，大家都记得吧？当年女排的冰美人，连她们郭指导都不敢碰。这是俊凤，主攻手；何榕不用介绍了，女排的主力二传，哭着喊着让田地给洗袜子的那个。”听到这个介绍，何榕轻轻地皱了一下眉头，接着嘴巴一咧算是默认。“这位是小杰，副攻；小唐子，副攻；章婕，二传。”

“何榕，来，坐我这儿，来。”田地赶紧招呼。听到有人叫她名字，何榕抬眼一看，脸上露出一种不可思议的表情。她什么话也没说，就走了过去。“真是迫不及待呀他。”“老毛病了他这是，改不了了我看。”田地并不搭理赵彬和小孟的揶揄，赶忙给何榕拉开身边的一把椅子。

鲁圣这时也就当仁不让地担起了司仪工作，大声地命令说：“俊凤你挨着黄涛，章婕你挨着赵彬。”鲁圣话音未落，小唐子一下子蹿到赵彬身边，拽着他的胳膊说：“这么英俊的大军官是我的。当初一不留神就让你给溜了，要不然我现在也是个官儿太太了吧？这次说什么我也得把你看住了。”

鲁圣见状没法子，耸了一下肩膀说：“那行了，你们俩过吧。那章婕你挨着小孟，小杰你挨着小文和晓伟。”

“干吗挨着他呀我？”小杰反问道。

“你要是不去，那我可去啦我，到时你可别后悔，小杰。”

“我干吗要后悔呀？”

“行了，让你坐那儿你就坐那儿呗，大方点儿。”

“看看，你看看，还是人家何榕这个二传有组织能力。”

“不行，我得赶快找一个，要不然这美女都分没了。冰馨，你跟我坐吧。”梁歌连忙招呼。

“这么多年不见，你怎么胖成这个样子了？瞧你那一身的肉，我跟你坐能行吗？”

“你跟我‘做’行，有肉垫着舒服。”

“讨厌！”

“哈哈哈。”

“晓伟，快！梁歌又笑啦！”赵彬突然在一旁大叫起来。

“这回他笑没事儿，他要是倒了有冰馨垫着呢。”

“什么‘梁歌又笑啦’？梁歌笑又怎么啦？”

“就是，我笑了又怎么啦？人家小唐子都看不下去了。”

“梁歌眼睛小，一笑就成一条缝儿了，什么也看不见，没人扶着，怕他摔着。”

“邹峰！你别净说我，你眼睛比我也大不了多少！”

“瞧你们男排这个乱劲儿的。”小杰捂着嘴直笑。

“诶，他们就这样，别理他们。”

“呦，晓伟，这么一会儿工夫我们怎么就成‘他们’啦？你这站位换得比场上要快不少啊你。”黄涛嘲笑道。

“晓伟快，但是他没有书第快。书第他们那个团长说谁要是破了团里的军事全能纪录，就给谁立三等功。好，书第一听这

个，二话没说，‘噌’的一下子就把记录给破了。”赵彬说。

“哪儿那么容易呀？还‘噌’的一下子。我可是‘噌’了不少日子哪。你想想，我们团里净是‘四川锤子’，跑得也快着哪。”

“什么‘四川锤子’？”

“啊呀我说小杰啊，你怎么连什么是‘锤子’都不知道啊？那你在部队算是白待了。要不你问问晓伟，他是四川人。”

听了小孟的话，小杰扭头朝着晓伟问：“你知道？”

小唐子赶紧制止了她。“快别问了你。”这时候男排队员已经笑成了一团。

“行了别笑了，别笑了。都坐下了吧，各位？”鲁圣看看大家都在位子上坐好了，就扭头吩咐服务员，请厨房大师傅赶紧上菜，“不然就都快饿死了我们。”

“再饿也没有当兵的时候饿，饿得黄涛半夜起来偷羊肉。”

“黄涛偷羊肉？你这是骗人吧？”小杰狐疑地问。

“真的，真的，我向毛主席保证。”晓伟信誓旦旦地说。

“没有，我没干过那事。那是晓伟干的。”

“唉，黄涛，你就承认了吧，这也是你给大家谋的福利吗，是不是？”

“大成说得对。来，黄涛你自己给我们讲讲。”

“我没偷过，我讲什么我？”

“没错，这事肯定是黄涛干的。”赵彬肯定地说，“那时候我们刚刚被下放到教导队，伙食特差，每天吃不饱饭。那黄羊是部队派人去内蒙古打回来的，割下来的肉拴在厨房的房梁上，吊得那么老高，谁也够不着。想了半天，大家说黄涛最合适，因为黄涛个子最高，胳膊也特长。那天晚上眼看哨兵走远了，黄涛溜进厨房，上桌子踩椅子，挑了一条羊腿，拿着刺刀在那里一个劲儿猛割。可没割几下，不知谁喊了一声'哨兵回来了！'哥几个撒腿就跑，黄涛一着急也从上边跳下来跑了。听着响动，哨兵赶忙走过来拿手电筒一照，那只大羊腿还在房梁上边摇晃哪。"

"你们可真行。我们女排可没干过这种事。"

"女排多舒服啊，我说章婕，你们整天住在太原，挨着军部，老是在首长身边。我们可是在乡下村里，每天的伙食费好像才两三毛钱，吃的净是玉米和高粱。那东西吃多了都拉不出屎来。"

"小孟说得对啊，当时给邹峰饿得直抢饭吃。"

"又开始编故事了，邹峰不是你们班长吗？班长还能抢饭吃？"冰馨问。

"班长的肚子也饿呀。"

"那是邹峰吗？黄涛吧？"书第说。

"怎么又是我？就是邹峰。他跟那些四川兵一起抢馒头。人家个矮，一个劲儿直往前挤，邹峰一看不好，馒头要没有了，就发挥'空中优势'，把手从人头上面伸了过去，看也不看，一手抓了几个就往外挤，出来一瞧，抢了四个窝头！"

"别笑了，别笑了，不是四个，是五个！吃下去撑得我都快要死了。"

"那还不算，刚吃完了就让我们去掏大粪，那个小屁排长真

他妈孙子。”

“哎呀，别说了晓伟！还让不让我们吃饭了你？”小杰生气道。

“说，晓伟。给她们女排上个忆苦思甜课。”

“对，谁让她们老是住在太原的。”

“那我可说啦？”

“说吧，让我们也开开眼，看看你们男排到底都吃了什么苦，受了多大的罪。”何榕浑不吝地说。

“那好像还是刚去高炮营的时候，也不知道是他妈谁出的主意，让我们没事去掏大粪，要看我们的笑话。幸好那还是冬天，天气冷，不那么臭。不过一镐下去，大粪渣子乱飞，闹得满脸满嘴都是。”

“真恶心！”俊凤赶紧捂住耳朵。

“你听着，还没完呢。那天掏着掏着，嘿，一下子掏出个皮箱子。这下子大家都紧张了，你想啊，这肯定是阶级敌人捣的鬼，要不然谁把皮箱藏大粪坑里呀。费了挺大的劲，才把箱子拉上来，小心打开，往里一看……”

“里边有什么？”冰馨认真地问。

“那还能是什么？‘变天账’啊。”

女排队员惊呼：“真的？”

“你听他的呢。里边什么也没有。”书第说。

小杰说：“你真讨厌。”

章婕说：“不像话。”

何榕说："真够呛！"

小唐子的嗓门儿最大："从晓伟嘴里就说不出什么真事来。"

"那好，那好，我再给你们讲一个真事，最后一个。"晓伟往上推了一下眼镜，"'擦边蹭底，轻捞慢起'，这句话你们女排的都不知道吧？那时候干粮不够吃，我们就只好捞米汤和面汤里稠的吃。一桶汤摆在地上，周围围满了人。一个人捞，其他人都眼巴巴地看着。邹峰戴着眼镜，被蒸汽熏得什么也看不见，好不容易把那个大铁勺子顺着桶边儿慢慢地从底下捞起来了，结果仔细一看，勺子是反着的，底儿朝上，勺子里什么都没有。"

晓伟的故事引来一阵哄堂大笑。这时服务员走了过来，轻声地对梁歌说："您的前菜都上齐了，可以用餐了。"

"好，那就开吃！"梁歌中气十足地大吼一声。

"这就吃上啦？"

"不吃，你还等谁呀，小文？"

"这么重要的活动，也得有个领导出来讲讲话呀。"

"对，田地讲吧。你不是老吵吵着要见女排吗？今天这么难得的机会，还不赶快讲讲你这个美籍华人此时此刻无比激动的心情。"

"我讲，不合适吧？还是邹峰讲吧，邹峰是班长嘛。"

"哎，我记得你不是男排的班长吗？"坐在他身边的何榕轻声地问。

"不——是！他那个班长是个副的，邹峰才是我们班长，OK?"梁歌纠正道。

“人家邹峰不仅是班长，当兵之前就是他们日坛中学的革委会副主任。现在是大学副校长，管着好几千人哪！”赵彬说。

“真的啊，邹峰？了不起啊你。”章婕羡慕地说。

“没有！革委会副主任是赵彬刚刚任命的，我在大学负点儿责，惭愧，惭愧。”

“那有什么可惭愧的？好事嘛！”

“没你事！你是我们北京人吗，冰馨？我怎么记得你是从石家庄还是哪儿来的？”梁歌问。

“我哪儿是从石家庄来的，石家庄来的是老党、东东和李立，她们三个都是河北队的。我是在兰州当的兵，但我是北京人，我父母是‘六二六’指示以后去的兰州。”冰馨的话还没有说完，章婕不干了，说：“不是北京人又怎么了？难道不是北京人还不能吃你这顿饭啦？”

“就是啊！这饭店又不是专门给北京人开的。”俊凤在一旁声援道。

“梁歌！告诉你别挤兑我们队长啊，要不然我们饶不了你！”小唐子更是不依不饶的。

“哎哟哟，邹峰，你还是快点儿讲几句吧，不然她们都冲着我来了。你瞧瞧，你瞧瞧这个厉害劲儿的。”梁歌讨饶地说。

“好好，那我代表男排讲几句。小姐，你们上你们的热菜，他们一边吃我这一边讲。”说着邹峰站了起来，清了一下喉咙说，“今天，我们男女排队员能聚在一起吃顿饭，真是太不容易了！这主要是因为多年前田地回国就提出过这个要求，这次回来之前又特意给我打了电话说这事儿。另外还多亏了鲁圣和赵彬的努力。”

“哎，哎，还有我哪，我的功劳可不能忘啦。”

“对，还有我们梁大律师的倾囊赞助。我刚才算了算，从我们男女排七七年在太原吃那顿散伙饭算起，到现在是整整二十九年了！在这二十九年当中，我不知道你们女排的情况怎么样，一会儿你们再跟大家说，我们男排队员的变化可实在是太大了。有上大学的，有出国的，有进工厂的，也有留在部队的。到现在呢，我们男排队员有结婚生孩子的，有已经离婚落了单的，有发了财的，也有还在受穷的，有发了福掉了头发的，也有瘦得跟豆苗似的。有开豪车的，还有骑自行车的，有住豪宅的，也有全家几口人还挤一间房的。咱们就这么说吧，当年我们二十来岁复员的时候，怎么也想不到的那些变化，在这三十年里都发生了，真是跟做了一场大梦似的。”说到这里邹峰停顿了一下，抑制住激动的心情，“但是呢，在这近三十年的时间里我觉得我们这些男排队员至少有一样东西没有变，这就是我们这些人之间的感情，没变！首先是我们男排队员之间的那种患难与共、亲如手足的兄弟情谊没变。其次，我敢肯定地说，我们男排队员心里对你们女排队员的美好感情，也没变！刚才见面的这一幕就是最好的证明。所以呢，我代表我们男排全体队员，现在提议为我们男女排这三十年不变的真挚情感，干杯！”

“好！”男女排队员一起鼓掌、叫好，大家都一口喝干了杯中的红葡萄酒。

“行啊，邹峰，真不愧是大学校长！几句话讲得很打动人嘛，差点让我老泪纵横啊你！”田地激动地说。

“那你这个班副还不趁机再补充几句？”

“你可别打岔啊，何榕。我们男排讲过了，现在该你们女排讲了！”

“何榕讲！”

“对，何榕讲！”

“小杰、俊凤你们俩别起哄啊，路上我可警告过你们了。”

“呦，都打过预防针啦？她对你们都说什么了？”小孟好奇地问。

“跟我们说什么也不能告诉你呀！”小唐子马上回了一句。

“就是啊！”俊凤也跟着在一旁帮腔。

“冰馨，那还是你讲吧，他们男排有校长，我们女排还有局长呢！”章婕自豪地说。

“什么局长，别是邮电局长吧？”

“大成，你别说风凉话儿啊，什么邮电局长，冰馨，把名片亮给他们看看，让他们也开开眼。”章婕嗔怒地说。

冰馨刚把一张名片从衣兜里掏出来，就被梁歌一把抓了过去，边看边读出声来：“冰馨，高级经济师、市场发展部主任、副秘书长。这没说是局长啊？”

“接着往下看，别吓着你！”章婕说。

“噢，这那儿，‘中国’，哎哟，还是带中国字头的哪。‘中国……中国饲料工业协会’。”

男排队员顿时大笑起来。一见这个情形，何榕不干了，说："你们可太损了你们，成心是不是？"

小杰也说："你们男排这不是欺负人吗，你们？！"

章婕提高了嗓门："太过分了啊！"

小唐子大声喊道："这顿饭是不打算让我们吃了，是不是？"

晓伟忙说："哎，哎，不是不是。都是因为梁歌他眼睛小，没看清楚。"

鲁圣也赶紧出来打圆场："来，来，请局长讲话。我们男排热烈欢迎。"

"讲就讲，还怕你们不成？！"说着，冰馨从座位上站了起来，"你们说是饲料协会，那就是饲料协会，对你们男排这样的人来讲，食品就是饲料。"

何榕、小杰和俊凤都纷纷鼓掌叫起好来，章婕说："就是啊，接着往下说，冰馨！"

"刚才邹峰说他们男排队员的变化大，其实他说的这些变化，在我们女排队员的身上也同样发生了。虽然我对女排每个队员的具体情况并不是十分了解，但是，我可以肯定地说，我们女排队员的变化在过去三十年里也不小，说不定比你们男排队员的变化还大！而这些变化的主要原因首先就是党的十一届三中全会和邓小平同志改革开放的政策……"

"她当这是给她那个什么协会作报告哪？怎么从女排扯到邓小平那儿去啦？"赵彬小声说。

"局长嘛，讲话讲习惯了不是。"小文低声附和道。

“局长讲话也得看清楚对象再讲呀。”

“局长讲话看什么对象呀，局长讲话是看讲稿。不信你问问咱们文书，是不是这么回事。”

“问我？要我说这讲话写得也太差了。怎么写也不能一上来就讲十一届三中全会呀。”

“那你说应该怎么写？”赵彬问。

晓伟带着一种不屑的语气说：“那得先说国际形势，然后才能说国内形势。国内形势，也得先说全国，然后才能说到女排嘛。这就叫‘先国际，后国内。先全国，后地方’。怎么连这都忘啦？指导员白教你们啦？”

小杰在一旁实在忍不住了，就狠狠捅了晓伟一下说：“你好好听着，男排里这么多人怎么就你话多？不说话，谁还能把你当哑巴给卖啦？”小文和赵彬也就立刻闭嘴，不再开小会了。

“最后呢，我借用一句古话，叫作‘君子之交淡如水’。我代表我们女排，提议我们以水代酒，祝咱们男女排全体队员身体健康，家庭幸福，生活愉快，学习进步！来，干！”女排队员都站起来了，可是掌声稀稀拉拉，男排队员都坐着不肯起来，不过杯中的酒倒是一口都干了。“啊呀对了，我还忘了说一句。明天一早我在成都还有个全国性的会议，所以一会儿我就得先走。”

“你别就走啊！这么多年了好不容易见一面，来来来，坐下坐下，再聊聊，聊聊。”说完梁歌给冰馨的杯子里填满茶水，“这可是上好的普洱茶，刚刚从云南空运来的，香吧，慢慢喝，慢慢喝。来，你先跟我说说你们这个协会都干点什么事情啊？”

“你刚才不是说我们是饲料协会嘛，造饲料呗，还能干啥。”

“那不是和你开个玩笑吗？你别当真啊。我问你，这市面上这些假酒假药是不是也归你们协会管哪？”

“你问这个干什么？你是想跟我们打官司啊你？”

“你先别这么紧张，我跟你打哪门子官司啊？就是随便问问，随便问问。”

“你们这些当律师的有随便问问的吗？你肯定是有目的的，我告诉你。”

“哎呀，没有，我真的就是随便问问。要不然你让我问什么，你离婚没有？性生活怎样？”

“你还来劲了你！你正经点行不行？”

“我怎么不正经啦？我又没有对你动手动脚的，来来，你说给我听听。”

看着梁歌脸上没有了笑容，冰馨这才半信半疑地说：“我们是全国性的行业协会，主要的功能是协调食品生产过程当中出现的带有普遍性的各种问题，比如说原料供应啦，市场销售啦，另外也举办各种专业展览会，以及和国外同行进行国际交流什么的。”

“那照你这么说，你们的协会就光管生产和销售，不管质量监督啦？”

“质量监督我们也管，但那主要是由国家质检总局负责。”

“那你们的协会有专职的律师吗？”

“你看，你看，说着说着就转到你的主项上来了不是？我就

知道你拉着我是有目的的。不过，让我先问问你，你是怎么当起律师来的？”

听她问这个，梁歌颇为自豪地说，他打小就一直想当律师，如果不信可以问问邹峰。一九七八年复员后他和邹峰，还有田地他们几个人，一回到北京马上就准备高考。然后当年就上了北大法律系，他们那一批再加上七七级的，号称是中国法学界的“黄埔一期”。毕业后留校教书，后来又去美国留学，在芝加哥当了几年律师。前几年回国和北大的一帮同学一起开了个事务所，现在他们所是全国最大的，“OK? 你不是说你们协会搞国际交流嘛？我考考你，你知道纽约的世贸大厦吗？”

“它不是被飞机撞塌了吗？”

“对呀，那楼里就有我们的律所。”

“你们的律师给埋里边啦？怎么没有把你也埋在里面啊？”

“我们没有人埋在里面，OK？不过差点儿，幸亏他们上班老迟到，要不肯定也死定了。这下你知道我们的实力了吧？下次你们协会有了什么大事，找我。别忘了啊！”说着梁歌从剪裁精致的西装口袋里掏出一个金灿灿的小盒子，慢慢打开，抽出一张名片，递给冰馨。

“塔普律师事务所，没听说过。嚯，办公地点在华润大厦二十层！那里的房租可贵了，我了解。真看不出来，你这一身的肉还挺值钱的啊。”冰馨嘴上夸奖同时在心里暗自琢磨，看来梁歌这个事务所还是真有实力。这北京城里有很多律师都说自己多么能干，关系有多广，可是仔细一打听，不是在一个老掉牙的写字楼里租个小办公室，就是个皮包公司，整天在家或者出租车里上班。像梁歌这样的事务所，真把黄金白银花在房租上，的确是有实力，也确实有财力，更是有魄力。想到这里她觉得应该和梁歌保持好关系，说不定将来真会用上他。冰馨下意识地看了一下手表，忽然大惊失色地对梁歌说："哎呀，不行，我真得走了。"说完她赶紧站起身说："各位，各位，男女排的战友们，朋友们，对不起，打扰一下哈。我实在是真得先走一步了，司机还在楼下等着我呢，不然就赶不上飞机了，明天的会也就开不成了。不过走之前我还想告诉你们大家，这次我们排球队三十年的聚会办得非常好，非常成功，我也非常高兴。我衷心地祝愿大家今天晚上玩得开心、愉快！下次聚会就由我们女排来做东哈，再见！"

"这就走啦您？不再喝杯'淡如水'啦？要不就再盛碗米饭？不吃可就没啦啊我说。"冰馨扭头瞪了晓伟一眼但并不搭话，转过身朝餐厅大门快步走去。"那我们也不留您了哈。不过您得快点走，别误了飞机，那家伙可是不等人。"晓伟朝着冰馨的背影大声说着。听了晓伟的话，梁歌赶紧起身跟上冰馨，又叫上两个服务员很周到地把冰馨送出门。

"哎呀，你怎么这么多话呀你！你看你们男排的哪一个像你这么多话？烦不烦啊你？！"小杰抱怨地说。

"我怎么了我？我这不是代表大家送送她嘛。要不然她一个人就这么走了，不是也怪冷清了点嘛。"

"你那是送她吗？什么叫'我们也不留您了'？'您得快点

走’？这叫送人吗？你这不是明明白白地轰人家吗你？”

“我可是没那个意思我。我向毛主席保证我没那个意思。你这可是有点太多心了啊。”

“什么？我太多心了？！是我太多心还是你太多心？我问你，你要是不多心，当年你给我写那么多信干吗？”

“信？什么信？我给你写信了吗我？”

“好哇你，你还想赖账啊你！你要是真敢否认，那我可当着你们男排的面宣布啦？”

“唉，可别！可别！你一宣布，那可就要出人命了我说。”

“那你承认写信给我啦？”

“写了写了，我那不是想同你多保持点联系吗。”晓伟轻声细语地说，“不过，我记得你复员回北京后我还往你家送过电影票哪，是个内部电影,《巴顿将军》，美国的，没错，我记得特清楚。多难搞的票啊当时，我就两张，还给你送去一张。我记得那天我在电影院门口这等。冬天，多冷啊！等到电影都开演了，巴顿都从国旗上走下来了，你还不来，我就只好进去了。摸着黑好不容易找到座位，坐下一看，嘿，你的位子上坐了个老头儿。我不敢问，也不敢轰他走。”

“为什么你不敢轰他走？”

“那老头万一要是你爸怎么办？”

“我把电影票给我爸干吗呀？”

“我也是这么想的啊。你不看就不看吧，那也犯不着把你爸叫来吓唬我呀你。结果我电影也没看好。”

“傻不傻呀你……”小杰气得差点笑出声来。

“那你怎么没来看呀？”

“你真送了吗你？”

“我真送了。真的真的。我不骗你。向毛主席保证是真的送了。”

“我反正是没收到什么电影票，只收到过你的几封信。信写得倒是挺长，每次都好几页纸。不过我还得问问你，你给我写信干吗老是用铅笔写呀你？”

晓伟吃惊地问：“是吗？我是用铅笔写的吗？”

“是呀，都是用铅笔写的。用铅笔写，时间一长了，字迹就看不清了。”小杰言语间流露出一丝遗憾。

“哎呀，那可是有点问题呀我说。”

“有问题？有什么问题？”小杰紧张地追问。

“我要是说了你可千万别怪我啊。”

“啊呀，你就快说吧，我不怪你。真的，说吧你。”

“那我可真说了啊。”

“啊呀，你就说吧，真啰唆死了你。”

“我告诉你，用铅笔写信那就是说明写信的人没有拿准主意，或者说他没有十分的诚意，所以才用铅笔写。”

“为什么？为什么用铅笔写就是没有拿准主意，为什么就没有十分的诚意？”

“这你还不明白？你刚才不是说时间长了字迹就不清楚了吗？字迹一不清楚，那就可以改口了嘛。”

一听到这话小杰顿时变得十分恼怒："好啊你，当年你就根本没有把我放在心上！你给我写信是成心涮我，是不是？！"说着小杰就用拳头在晓伟的肩膀上狠命地砸起来。

"哎，别动手，别动手啊你。我刚才说的是跟你开玩笑呢。"晓伟嬉皮笑脸地解释说，"写信就是写信，用什么笔还不都一样吗？钢笔、铅笔、毛笔，只要是笔就行了嘛。我那会儿大概是没钱，买不起钢笔，所以就用了铅笔。信纸好像也用的是部队里的，上面还印着部队的番号，五二九四二，对吧？"

"那你现在就买得起啦？"小杰转怒为喜。

"现在？别说笔了，我车都买了我。不瞒你说我现在也是国内著名的体育摄影记者了，要不我给你看看我们新华社的工作证？"

"吹牛吧你？"小杰的语气中明显带上了喜悦和爱慕的口吻。

"真的真的。你要是不信过两天你看看中央电视台体育频道的专题节目，那里面有专门介绍我拍的体育照片。要不，我也给你拍两张大特写怎么样？"

"我才不稀罕你的照片呢。"嘴上虽然这么说，但是听得出来小杰心里还是很高兴的，"啊呀，突然想起来我在昆明冬训的时候好像当了灯泡啦！"

"当什么灯泡了？"

"我们女排最后一次去云南，在大理训练，冰馨和十一军男篮的小秦每天晚饭后都出去散步，也不知道为什么冰馨总是要拉上我，这不明明是拿我当他们俩的灯泡了吗？我怎么现在才忽然明白啊我？”

“嗨，那不叫灯泡，那叫蜡——烛，点燃了自己，照亮了别人嘛。你做得挺好。”

“真讨厌！你怎么这么会说话啊你？”小杰的语气变得越发温柔了，心中涌上了一股甜蜜。她嘴上没有说，其实这时她也想起了晓伟当年给她信中写的一段话，那是在她收到的所有的信中她最喜欢的一封，虽然这封信里的字迹几乎不可辨认，但是那上面的每一个字都清楚地印在她的心上：“你别生气了。我真的是喜欢你！正因为喜欢你，所以我才不高兴的。刚才在卡车上看见你生了气，我的心都要碎了，求求你别再生气了吧。我的坏也已经使完了，真的没有坏可使了。今后不管你怎么样我都喜欢你，你已经在我的心里住下了。其实呢，你也是个傻姑娘，只会看我的表面。亲你一下！（撕掉，勿留）”

这是小杰最喜欢晓伟的地方。他比她大，他高，他总爱逗她、恼她。但是真把她气着了，他就会转过来哄她，向她道歉，反反复复地说喜欢她。这种男人最让她感觉舒服。他的心那么大，好像根本就没有个边儿，不管她怎么折腾都摸不到头儿，哪头儿都摸不到。“有这么个大男人整天总在身边逗我，哄我玩儿，那可是太幸福了。”

“嘿，我说你想什么哪，还想着冰馨哪？人家早已经上飞机了。你可真替你们队长操心啊。”

“我没有想她，人家是在想你刚才说的话呢。”小杰轻轻地把头在晓伟的肩膀上靠了一下。

何榕紧挨田地坐着，离得这么近都可以听到他轻微的呼吸声，感到他身体散发出来的热力，在这热力之上漂浮着一层淡淡的香水气息。“这准是在美国那地方生活的时间长了，染上老外的习惯了。”何榕觉得这个牌子的香水很好闻，是淡淡的清香，不呛鼻子，也一点不腻。不过这香水的气味同何榕记忆中的田地没有一点儿联系。那时候他们男排队员身上都是汗味，就算洗过的衬衣也难免还是有点儿那种汗酸味。对此她从未抱怨过，也没觉得那股味道有什么讨厌，更没有妨碍她希望与田地接近。从侧面看田地胖了，也完全没有在部队时候那么精神干练了，多了一层下巴，坐在那里膀大腰圆的，连他屁股下面那把椅子似乎也总是在不断地抱怨呻吟。“男人大概都是这样，一过中年肯定要发福。他这还算好的，看看梁歌，身上一点儿都没有运动员的痕迹了。”何榕在心里给自己解释。

何榕当然注意到了田地左手无名指上戴的那个戒指，是玫瑰金，不发光，却和他古铜色的肤色很般配。“他也结婚成家了。像他这样的男人，完全不用操心，太招人喜欢。在中学就是这样，听说在集训队的时候还为此挨过批评。现在他有了些年纪，仍然不用担心，如今的小姑娘又开始喜欢上大叔型的男人了，小鲜肉不时髦了。”不过最让何榕好奇的是田地满头的白发。

“怎么会全都白了呢？年龄没有比我大几岁嘛？这是受了什么刺激了才会让头发白成这个样子啊？都说在国外生活不容易，可是也没见什么人的头发像他的这么白呀？这得遭多大的罪才会白成这样呢？不过这头发白得还挺好看的，在灯光下很亮很有光泽，这是不是染的啊？”何榕很想现在就问问田地，他这头发到底是这么一回事，问问他过去这三十年的生活和经历过的事情。可是转念一想，周围这么多人，又看见田地那么入神地看着晓伟和小杰在那里瞎吵吵，就把已经到了嘴边儿的话咽了下去。

田地觉得出来何榕一直在旁边打量他，眼光不时地在他脸上和身上扫来扫去，好像探照灯，非要在漆黑的夜空中探出个究竟。田地心想要看你就看吧，好好看看这头白发、黑红的面盘、双层的下巴和变粗的脖子。这么多年过去了，我的故事大都写在脸上、藏在皱纹里了，多看几眼也许就能看明白了，也就用不着我再解释了。刚才听何榕自我介绍说她这几年一直在税务部门工作，当了干部，早就成了家，虽然他们夫妇没有孩子，但是工作之余可以随意地安排自己的生活，有了假期就去国外旅游，日子过得很惬意，也很潇洒。现在北京人的生活就是这样，有工作，有老伴儿，有自己的房子，能出门旅游，这就算是中产阶级了。“如果按照美国人的标准来看的话，他们说不定应该是中产阶级的上层了。因为他们基本上不用花自己的工资，去哪里都有人接待，要不然就是可以报销。剩下的就是考虑一下退休以后的生活了。”田地在心里替何榕想。自从一九八八年出国以后，田地不怎么回北京，但是每次回来都看到国内的变化非常大，老百姓手上的钱多了，日子好过了，说话口气大了，底气也更足了，就是聊天也和过去不一样了。更喜欢调侃、斗嘴，甚至是嘲笑对方，有的干脆拿自己开涮，就像晓伟现在这样。这种谈天的方式让田

地觉得很有意思，很开心，听不够。他目不转睛地望着小杰和晓伟，偶尔也看看桌边这些当年满脸洋溢着青春、而今已经步入中年的男男女女，听着断断续续从餐桌上传过来的那些有趣的往事，田地的脑海里不知不觉地浮现出那天中午放学时的情形……

第二章

扔下书包就出发

时间：一九七四年十一月二十日 星期三

地点：北京 西城 二龙路十四号

高台阶上有两扇高大的木头门，朱红色，厚重。大门朝西开，大门右边挂着一个白色的木头牌子，上面用红漆写着“北京市第一百五十中学”。这所中学的前身就是京城里赫赫有名的“师大女附中”。女附中之所以有名，首先是因为历史悠久，一九一七年创办，那时候叫“北京女子师范学校附属中学”。后来几十年间，它的名字也被改来改去，终于在一九七二年改成了不再有性别特征的“一五零中学”。

女附中有名还因为它师资力量强。它有很多“文革”前的一级和特级教师，这是北京其他中学根本无法比拟的。全国很多很好的中学连一个二级教师都没有，就更不要说一级或者特级教师了。学校历史长，师资力量强，教学质量就高，招收的学生自

然也就很不一般。据说“文革”前入学的学生几乎是考试得双百分。除此之外，这里也是高干子女的聚集地，比如毛泽东的女儿李敏和李纳，刘少奇的女儿刘婷婷，陈云的女儿陈楠楠，邓小平的女儿邓榕，以及那些来自“空军大院”“海军大院”“总参”和“总后”的女孩子们。她们当中很多人以前就认识，因为她们多数是在“育英”“育才”或者“八一”学校上的小学。

师大女附中其实还有一个特点让它全国闻名，那就是它的女子排球队。师大女附中女排在“文革”前曾经一举击败素有“排球之乡”美名的广东台山中学生排球队，夺得全国中学生女子排球比赛的冠军。大概也正是因为这个原因，一九六九年年末一九七零年年初当北京什刹海业余体育学校考虑恢复基层中学排球活动的时候，首先想到的就是师大女附中，不仅恢复了女排，而且还顺便成立了“女附中男排”。

十一月中旬的北京已是秋末冬初，天气开始转凉。中午放学铃声一响，大群的学生争先恐后地冲出教室，涌出校门，赶着回家吃午饭。在拥挤的人群里，晃晃悠悠地走着一个学生。他身高有一米八多，这让他在众多同学中非常显眼。上身穿了件褪了色的蓝色中山装，上衣领子的扣子敞开着，露出里面国红色的运动衫。裤子的颜色和上衣比起来还要略深一些，但是裤脚上有一圈儿泛白的印记，显然是因为裤子不够长，把裤脚放开后留下的痕迹。脚上穿着一双布懒，白边已经磨出了破绽。这个学生个高腿长，原本可以走得快些，可是被身边个矮的同学包围着，只好无奈地往校门外蹭。

刚出校门，一阵饭菜的香味迎面扑来，不用多想，那一定是炒饼的味道。别看校门外的这个餐馆不大，却起了一个“玉山居”的名字，听上去就像京城里的“八大楼”。玉山居在厨房的角上专门用红砖砌了一个炉灶，里面的火苗子被鼓风机一吹，蹿得老高。切得细细的白面烙饼丝在大铁锅里不停地被翻炒，再加上锅里的青菜、肉末和葱花，那热腾腾香喷喷的味道就别提有多诱人了。这时他真想走进去来一大碗，吃个痛快。可是摸了摸兜，钱不够，只好咽了几口吐沫，一扭头，向左，朝回家的方向走去。

“田地！”有人在他的肩膀上拍了一下。不用回头看，就凭着这声音和手上的分量，他知道这准是小孟，女附中男排的副攻。小孟比田地低两个年级，但身高相同，弹跳很好，扣球时提肩扣腕，“叮咚”就是一个三米线，被什刹海体校教排球的常青教练视为门生。

“你车呢？”小孟问。

“我哥骑走了。”

“回来了他？这次回来，是不是就不用回去了吧？”

“不知道，没听他说。估计还得回去吧，他在北京没户口，找不着工作啊。”

“我X，在山西插队都他妈多少年了，把这辈子的苦都吃了，我记得他走的时候我还在上小学呢。”

“别说你了，连我也没上中学啊，六八年，你想想。”

小孟和田地的父母同是广播局的干部，两家住得也不远，都

在复兴门外二条和三条之间的广播局三零二宿舍。三零二宿舍的周边还有几个宿舍大院，比如国务院宿舍、铁道部和财政部的宿舍，稍远一点儿还有华北局、汽车局和全总的宿舍。“文化大革命”一开始中学就乱了，猛批“分数挂帅”和“白专道路”，学校的入学考试通通被废除，改为所谓“就近入学”。这样一来，这几个机关大院的孩子不是就近去了月坛中学、三十四中，就是三十五中或者一五零中。

虽说是就近入学，可是上学的交通非常不便利。“大 1 路”在礼士路倒是有一站，可下一站一下子就开到西单了，完全过了头。此外还有 15 路和 19 路公共汽车，不过上车和下车的地方离家和学校都特远，不仅没少花时间走路，还要搭上车钱，太不值得。于是很多学生，特别是那些没有自行车的学生，都选择走路上下学。不管刮风下雨还是冬天下大雪，一到中午放学时间，从各个学校涌出来的学生着急回家吃饭，一群一伙的在大街上乱走，能占去小半边儿长安街，那情形很是壮观。

其实交通堵塞最多不过是一个钟头的事儿，不同学校的学生混在一起造成的麻烦更大。中学生，不论男女，正是处在身体发育的高峰期，精力旺盛，自制力差。同校同班的同学还时常看不顺眼，再和外校的学生混在一起，那才叫热闹。那时候的男学生大多不好好读书，书包里放的不是书本和铅笔盒，而是板儿砖、菜刀和擀面杖。走着走着，看谁不顺眼，便呼哨一声，掏家伙就打。在那一片儿打出了名的，像三十五中的“黑子”和一五零中的“翻飞”，不仅打人狠，挨打的时候也是一声不吭，令同学们佩服得五体投地。如果碰巧有女同学在旁边，那就打得越发勇敢。当年在长安街路北的学生中间就流行着这样一句顺口溜："三十五中门朝北，不是流氓就土匪。女附中门朝西，不是圈子就野鸡。"

眼看快到家了，身边忽然传来一连串的自行车转铃声。田地眼尖，侧眼一瞟就看清了车上的人。"嘿，队长等等。"田地在后面高声喊道。那个被称为"队长"的人捏住闸，停下车，左脚踩地，右脚还在车镫子上，回身扭过头来问："你车呢？"

"嗨，我哥回来了。带我一段儿？"田地恳求道。

"上来吧。"队长很痛快地答道，"哎！对了，小孟，别忘了下午去体校训练。"

"哎呀，放心吧你，忘不了。"

"也不许迟到哈。"队长开玩笑地又叮嘱了一句，这才又骑上那辆凤头牌自行车带着田地先走了。

北京 西城 什刹海业余体校

李干事下了公共汽车，一看时间还早，估计体校的各位教练这时候还没有吃完午饭，他就顺着马路蹓跶到离体校仅一墙之隔的后海。这会儿天凉了，游人和遛弯儿的居民也少了，李干事在岸边找了个长条椅子坐下，趁机把他此行来北京招兵的事情在脑子里捋一捋。

这次从太原来北京也有一个多月了，北京市里排球运动开展

比较好的中学几乎都跑遍了，在海淀和朝阳也挑着了一两个身体素质和各项技术都很不错的队员。不过排球是个集体项目，光有一两个好的队员发挥不了太大的作用，必须得场上六个人密切配合才行。所以李干事想从体校挑几个条件好的队员一起带走。可是偏偏碰上了市体校的这位常青教练，可以说是个“杠头”，非说他培养的学生个个都好，要么全带走，要么一个也别带。这下可要了李干事的命了。他坐在椅子上望着湖水发愣，心想年底就要到了，再找不到合适的队员，本年度的招兵名额就算作废了。如果真是这样，那回去怎么向军首长交代啊？更何况明年有比赛任务，后年还有军区运动会呢！想到这儿，李干事觉着今天无论如何一定得把这事谈妥了，把人带走才行。可是怎么才能说动这位常青教练呢？

大名鼎鼎的什刹海体校教研组办公室其实就是临街的一大排漆成墨绿色的木板房，从外面看更像是游泳池的更衣室。“排球教研室”占据了其中的一个大房间，男女排的教研室有各自的门，里面却是相通的。今天人们很难相信这就是那些当年在排球场上叱咤风云的国家队、北京队和火车头队男女运动员退役后的栖身之所。各位教练员也是在这种简陋的条件下辛辛苦苦地工作，为国家队和各个省市队输送了一批又一批的排球人才，其中也包括各大军兵种的排球队。

吃过从食堂打回来的午饭，大张教练随手拉过两把椅子准备倒在上面眯瞪一会儿，下午好有精神给“长训班”的孩子上排球训练课。头还没有放踏实，就听见有人敲门，他只好又坐起身，用浑厚的男低音说："常青，去开门吧，一定是找你的。准又是那个山西来招兵的什么干事。"张教练语气平和，没有一丝的埋怨。

"X，这哥们儿可真行，坚决执行首长指示不走样儿。看来不招到人他是誓不罢休啊。"林教练笑呵呵地评论道。林教练话里带着不少老北京人的词汇，可是从口音中听得出来林教练的祖籍一定是南方人，不是浙江就是福建。

"我看呐，常青，就按着他说的办吧。硬顶着，小心别把其他队员也给耽误了。"负责女排训练的宗教练乘机也劝说了一句。

常青教练叹了口气，起身去开门。果然进来的不是别人，正是北京军区第六十三野战军此次派到北京负责招收体育兵的李干事。不用别人让他，李干事熟门熟路地进了屋，一面非常客气地和各位教练打招呼，一面从口袋里摸出包烟——"牡丹"过滤嘴。"来，抽烟。烟不好，凑合抽根哈。"

"谢谢，谢谢，不会。"大张教练客气地拒绝了，"走吧小林，宗教练，咱们换个地方，让他们二位再好好聊聊。"说着带着其他两位教练到别的教研室找地方午休去了。

常青教练先给李干事沏了一杯茉莉花茶，递了过去，问："怎么样，李干事，你们军长最后到底是什么意见？"

"啊，不不不，这种事情用不着请示军长本人，我们军政治部决定就可以了。"李干事双手接过茶杯，喝了一口，然后捧着茶杯暖手。

“上次不是说要军长决定吗，这才几天没见面你就改口啦？”

“诶，常青教练您可不敢这么说，可不敢这么说啊。这么大的事情可是不敢随便说说，更不敢随意改口，那是要犯错误的，要犯大错误的。”

“那么你们最后到底是怎么决定的呢，要还是不要？痛痛快快给个话！”

“哎呀，常青教练说话就是痛快，不愧是北京人，说话办事都干脆利索。不过您先听我慢慢说，慢慢说哈。我呢把咱们前两天商量的意见向军里做了详细的汇报，军里也正式就今年招兵工作的进展情况开了会。对于咱们体育兵这一块儿，具体说军里的意见是这样，既然常青教练您说了要我们把您的队员统统都带上去部队，那我们就同意您的意见。”说到这里李干事停了一下，望着常青教练，看到常青教练的脸上露出了满意的笑容，这才又接着说，“不过呢，既然是要都带上，那我们就都带上，您的队员一个也不能少。”

“等等，你这个‘一个也不能少’是什么意思？”常青教练立刻收起了脸上的笑容。

“诶，不不，这可不是我个人的意思，是军里开会的决定啊。‘一个人都不能少’，就是说要把您培养的这批学生统统带走，也要带上那个薛捷和赵国庆。”

“那不行！”常青教练干脆地打断了李干事的话，“薛捷和赵国庆人家海军和成都军区已经决定要了，手续都已经开始办了，你们根本就没戏。想都别想。”

“啊呀，要是这样的话……”

“那你们就一个也不要了？”常青教练急切的语气没有逃过李干事的耳朵。这时他故意放慢了语速说：“嗯，这个嘛，要还是可以考虑要，但是呢，我们有个小小的条件。”

“什么条件？你说我听听。”常青教练急着问。

这下李干事基本上摸清楚了这位常青教练的心思，他是想让他的学生都参军，可实在不行，那也可以商量。于是李干事慢条斯理地说：“常青教练您是排球运动的专家，排球运动是个集体运动项目，不像我，过去是搞田径的，什么时候都是我一个人……”

“这个我知道。你不用跟我绕圈子，你就告诉我是什么条件吧。”

“好，好，马上就跟您说，马上说。我们军里的意见是这样，我们不带薛捷和赵国庆您这两个学生也可以，但是我们组建的这支排球队要以一五零中学的队员为主，您看这样行不行啊？”李干事的脸上堆满了笑容。

常青教练稍稍想了一下，好像是在自言自语：“那就是说，你们是要大成和黄涛，当主攻手；小孟、梁歌呢，做副攻，赵彬、书第和靳华他们三个人是二传，是这样吗？”

“对，对。哎呀，还是常青教练了解情况，一下子就都猜到了。而且常青教练真是替您这几位队员着想，这不，我们想到一块儿了嘛。”李干事兴奋地说。

“不过，你等等，那鲁圣和小文怎么办？”

“鲁圣我们肯定要，因为您不是说北京青年队已经看上他和赵彬了吗？至于那个小文呢，我看……”

“小文你们也带上。小文他很想参军，已经跟我说过好几次了。其实人家小文本来最早是被成都军区看上的，可是他家里不同意，一来二去，人家成都军区就要了赵国庆。知道了吧，所以小文你要带上他，这样一来你们这个队伍就有了三个主攻、三个副攻和三个二传，队员基本上就齐备了。”说到这里常青教练高兴地拿起热水瓶，“来，给你添点儿水。不过那另外三个位置你们是怎么考虑的呢？”

看到常青教练现在已经开始替他着想了，李干事的心里就踏实多了，于是就把他刚才在湖边想好的组建六十三军排球队的计划和盘托出。

听了李干事的计划，常青教练苦笑了一下：“你啊你，真是个老西子，满肚子花花肠子。这几天不露面原来是在私下里活动。”李干事刚要分辩，常青教练用手势制止了他，“你说的朝阳和海淀的那两个队员我不太熟悉，四十四中的晓伟我知道，他是林教练的学生，也参加了全国中学生排球比赛的集训队，条件不错。但是一五零中学夏老师推荐的这个田地我可太了解了。他是我和林教练在一五零中学办短训班时的学生。一开始我并没有看上他，觉得他头大肚子大，将来肯定长不高，弹跳力也不会太好，所以我老说他还没有跳起来就落地了。可是林教练觉得他还行，说他脑子好使，学东西快，有一定的组织能力，我们就把他留下来当二传培养。没想到练了两年这小子的个子还真长起来了，有一米八多了现在。全国比赛集训时他弹跳力也上来一点儿，可是爆发力还是不行，短跑还不如他们同班女生跑得快。”常青教练喝了一口茶，“行吧，这事就这样吧。剩下的几个学生的工作，我去做。现在我得去训练了，你也一起来吧，和你的队员们正式见个面，别老躲在栏杆外面偷看了。”

“好好，我去，我马上跟您一起去。不过常青教练，我还有一个小小的要求得麻烦您帮忙。”

“你还想要谁？不会是让我们教练也跟你一起去山西当兵吧？”

“啊不不，我们太原那里庙小，请不到您这几位著名教练。我们那里能请到山西省队的教练就不错了，还得给人家提干、发干部服、涨工资。”李干事赔着笑脸，“嗯，我是想请您帮忙跟这些学生说说，让他们尽快出发去太原军部报到。”

“这可以，我跟他们说，应该没有什么问题。”

“那好那好，不过呢，我们是想今天晚上就把他们带走，您看火车票我都带来了。”说着李干事掏出一个印有部队番号的牛皮纸信封，“哗啦”一下从里面倒出十几张火车票，上面清晰地印着：87 次直通旅客快车 北京——太原 始发 22:45 翌日到达 08:35。

看着桌子上的火车票，常青教练愣在那里，眉头紧锁，不知道说什么好，想了好一会儿，最后才说：“那海淀和朝阳的那两个学生怎么办？再说田地也已经不在我这里训练了啊？”

“这个您放心，常青教练，他们三个人的车票我已经给他们

学校和家里送去了。”

听了李干事最后这句话，常青教练说不出心里是什么滋味儿。他觉得被李干事涮了，钻进了他早就设置好的圈套，可是又说不清自己在什么地方吃了亏，这让他心里非常别扭。此时常青教练脑子里只有一个念头，就是赶快离开这个从山西来招兵的人，一看见他那张堆笑的脸，就觉得胃里恶心，要吐。常青教练这样想着，猛地一下从椅子上站起来，高大健壮的身体几乎把桌子上的茶杯也碰翻了。他转过身，打开门，径自朝排球训练场走去，连头也没回。

广播局 三零二宿舍 二十七单元三楼一号

家里乱成一团。

田地的妈妈中午下班刚进家门，就被罢官多年在家的老伴拉到一旁，悄悄地告诉她，说是刚才部队上来了人，通知田地已经被正式批准入伍。因为军情紧急，今天晚上就要乘火车出发去太原军部集合。来人姓李，自称是六十三军政治部的一位干事。李干事反复说这是保密行动，千万不要向他们部队的老首长丁政委和王参谋长打听情况，更不能把参军的消息外传。“你看，他把今天晚上的火车票也给送来了。”说完，田地爸把火车票递了过去。

接过车票田地妈站在那里仔细看了看，确实是今天晚上去太原的直快票。而且这个李干事提到的“丁政委”和“王参谋长”

也的确是六十三军的老首长。丁政委叫丁莱夫，曾经是六十三军的军政委，王参谋长是王守仁，原六十三军军参谋长。他们二人是在“文革”开始前调入广播局担任领导职务的，而且他们就住在这同一个宿舍楼里，是邻居。这样看起来，这事大概错不了。想到这里田地妈赶忙从身上掏出一叠食堂餐券，对一直站在身边的二儿子说：“你快去大食堂买些好吃的菜，快去，不然食堂就关门了。”然后回过头来对田地爸说：“你去把桌子摆摆好，田地马上就回来了。”说完又对正要出门的老二说：“诶，你再多带上几个饭盒啊。”

“我拿了两个，够了。”老二嘟囔着说。

“哎呀，叫你带你就带，不要啰唆了！快去快回哈。”田地妈在他身后大声叮嘱。然后她扭过头来说：“他爸，你还站在这里干什么？赶快去把桌子摆摆好啊。真是的，推一下动一下，还老说我工作没有主动性。”

田地妈来不及换衣服，套上一件围裙，把蜂窝煤炉子捅开，放上炒菜锅，倒上油，转身去水池子里洗菜。“老三去参军，那老二就有可能回北京了吧？国家对知青不是有个‘身边无子女’的政策吗？而且说不定很快就能办回来。如果老二他真的回来了，那就一下子解决了两个北京户口。然后再想办法把老大他们一家子也办回北京。”田地妈边洗菜边在心里盘算着，脸上慢慢露出了笑容。“老二回来了就赶紧让他找个对象，结婚生孩子，这个家里总得有个孙子啊。”

“你在那里自言自语地叨叨什么啊？菜都要炒煳了！”田地

爸在厨房门口大声对她嚷道。话音未落，田地已经进了厨房。

“好香啊！爸，妈，今儿是什么好日子？做了这么多好吃的。”他一边说一边往嘴里塞了一节蒜肠，开心地嚼着。

“都是为了你啊。”妈妈忙着炒菜，头也不回地答道。

“为我？”田地一脸的不解。

“对呀，就是为你。为你送行。”妈妈兴奋地说。

“送行？去哪儿啊？”

“参军啊？！怎么，学校没有跟你说吗？”

“参军？参什么军？”

“你真不知道还是在跟我装糊涂啊？送你去山西当兵，今天晚上就走。你们部队把火车票都送来了！就在餐桌上，快让你爸拿给你看看，快去啊？”

“谁说我想去参军了？！”田地突然提高了嗓音厉声质问道，“我才不要参军呢，当什么大头兵啊？！我不去！我要去插队，这是早就跟同学都说好了的。”说完扭头就跑了出去，差点儿和端着饭盒进门的二哥撞了个满怀。

海淀 皇亭子 铁道部宿舍 一三零栋十四号

从李干事手里接过火车票，书第他们几个队员就停止了在体校的最后一堂训练课，跟常青教练和其他几位教练道别后，大家就匆匆忙忙提前回家了。

听他说要去太原当兵，而且今天晚上就走，正在家中准备晚饭的妈妈一下慌了神。她赶紧跑到隔壁车队队长老王家，借用部里的工作电话把这个消息告诉还在上班的老头子，要他赶紧回来，同时提醒他别忘了叫上其他几个孩子，好在小儿子走之前全家在一起吃顿团圆饭。

时间不长一顿丰盛的晚饭就准备好了。老家佳木斯的凉拌大白菜、炖扁豆和浇汁鱼，还有书第父亲特地从部里的小食堂买回来的几个油大肉多的“甲菜”：红烧肉、四喜丸子和米粉肉。小饭桌周围坐了一大家子的人，妈妈、书第、他的三个哥哥和三个姐姐。看着一桌子的酒菜，没有一个人动筷子，都在恭恭敬敬地听书第爸爸的叮嘱。

“我这一辈子没什么别的本事，就是干了大半辈子的铁路。咱们家里的人，像你几个哥哥姐姐，都是在铁路上工作，如果你问我铁路上的事儿，像铁轨、机车和信号啥的，闭着眼睛也能给你说个八九不离十。可咱这个家里就你特别，偏偏喜欢搞体育，喜欢打什么排球。我也不知道你是从哪儿学来的这本事，居然人家学校老师还把你送去了市体校。其实从你一开始说要去打排球，我就问过咱们部里的人，幸好部里还有个‘火车头队’，里面还真有个排球队。人家跟我说排球是个非常特殊的体育项目，打球的人个子要长得高，那个什么弹跳力也要好，身体要非常灵活，脑瓜子也得好使。可是看看你，短粗短粗的，像你妈，人也不机灵，死性，爱认死理，这像我。可真是怪了，这体校偏偏又把你推荐给了部队，这部队还真看上你了。部队招兵嘛，向来都是挑好样的。可是你呢？是个近视眼，平时还总戴着

个眼镜，我也不知道人家部队到底是怎么想的。不过啊，既然人家部队要你，那我也不好再说啥了，你去了就好好干吧。听领导的话，服从命令，听人家的指挥，守纪律。另外呢，把衣服收拾得利索点儿，别老是那么吊儿郎当的。你走之前我就说这么多了，看看你妈还有啥嘱咐的。”说完老吴站起身，独自一人到里屋去了。

眼看老伴儿进屋了，书第妈往前挪了挪身子，握着书第的手，说：“我知道你爸他心里不好受。你是家里最小的，这下参军，要去这么远的地方，你爸他担心你，不放心。你让他一个人待会儿。”书第妈用手摸了一下眼角，接着说，“我说你呢，头一次一个人出远门，千万要注意身体，不管干什么，都不能累着自己，干活训练悠着点儿哈，别逞能。你还小，以后的路还长着呢，万一搞坏了身子，那可是一辈子的事。”

“我知道。”书第的语气中流露出不耐烦。

“你知道啥你知道？”书第妈提高了声音，说话的速度也加快了，“我听隔壁老王的爱人说，山西那地方冬天可冷了，刮大风。那风一刮就是半拉月，黄土漫天，走对面都看不着人。到了那地方出门你可要穿好衣服，最好戴上口罩啥的。另外，在外面可是不像在家里，吃东西不顺口，搞不好就会拉肚子……”

“啊呀，人家部队上有成百上千的人，都是吃的同一锅饭菜，凭啥就咱们书第拉肚子？再说了，部队上人家发军装，什么时候穿什么衣服有规定，戴什么口罩？你净瞎操心。得了得了，你别说了，吃了饭赶紧把书第要带的东西再收拾一下就行了。”说着书第的父亲又坐回到他原来的座位。“哎，就这样吧，说来说去就是一句话：到了部队上就听部队的，‘三大纪律八项注意’做好就行了。哦，我差点儿忘了，你去告诉黄涛一声，就说我跟部里要了车，送你和黄涛一起去车站。隔壁你王叔叔跟站上的人很熟，可以把你俩直接送上火车，不用排队。去，快去吧，赶紧去告诉黄涛一声。”

“爸，书第他还没吃饭哪！”书第大哥提醒说。

“啊，对对，还没有吃饭呢，你看看我净顾着说话了。来吧，大家吃饭，都把筷子动动，不然菜就都凉了。哎，等等，先喝一口，先喝一口。来，老大倒酒，为咱们老吴家的第一名解放军战士，干杯！”

东城 豫王坟 外交部宿舍

从学校回来，一家人的晚饭已经吃完了。桌上给他留了一盆儿土豆鸡蛋沙拉，凉的，还有一大块牛排，也是凉的。邹峰知道这是王叔叔的手艺，但是他现在根本没有心思吃饭，他得赶紧收拾东西，一会儿就得去火车站。

从体育老师手里拿到车票已经是下午放学以后了。出了体育教研室的门，邹峰找了个僻静的地方，从兜儿里掏出火车票，盯着那个长方形的纸片，仔细地看了好一会儿。邹峰心里一直是非常想参军，他觉得自己这一米八多的身高穿上一身国防绿的军装，配上鲜红的领章和帽徽，看上去一定很精神。而且当兵是

所有男孩子的梦想，真要是当上了兵，那一定会被学校里的男女同学羡慕死。可是邹峰对自己当兵的事不抱太大的希望，因为他天生就是个近视眼，平时戴副大眼镜，学校里身体条件比他好的同学有的是，部队招兵怎么也轮不到他呀，所以邹峰早早地就做好了毕业下乡插队的准备。他不怕去插队，觉得插队没什么了不起，不就是苦点儿累点儿吗？那些农活又不是没有在学农的时候干过，有什么呀？就凭这结实的身板什么农活都不在话下。再说了，插队还能和那几个要好的同学在一起，每天在农村的广阔天地里游荡，在蓝天下游泳捕鱼，一起劳动做饭读书睡觉，那该有多么快活。可是当火车票真真实实地放在手里的时候，邹峰一时又没了主意。今天晚上这一走可就再也回不来了，就和学校里的老师、同学、队友永远分别了，浪漫的中学生活也就彻底结束了，不再是一个学生，而要走向社会，成为一个大人、一个成年人。从今以后他就要开始独立地生活，就像父母那样地生活。这让他对即将开始的崭新未来又缺少了信心，脚下的大地似乎一下子也变得软绵绵的，变得非常不踏实。想到这里，邹峰心里忽地泛起一阵惶恐、一阵忐忑不安，不知所措。在这人生最重要的时刻如果父亲还在身旁那该有多好，可以把自己内心深处的担忧跟父亲说，听听他的看法，哪怕是几句安慰和鼓励也好。可是这一切对邹峰来说已经变成了一种奢望，一个完全无法实现的梦想。

邹峰的父亲曾经是外交部信使队的副队长，也是外交部信使队第一批十六名成员之一，其他成员包括后来成为外交部副部长、驻美大使的朱启祯。信使是外交部里最受重视的工作之一，他们身上带着国家最重要的机密文件往来穿梭于世界各个首都，只要是有中国外交使团的地方，都可以看到信使的身影。特别是在六十年代中苏关系完全破裂以后，往返于中国和苏欧之间传递绝密文件的工作几乎都落到了邹峰父亲的身上。他往往是刚刚才从莫斯科回到北京，还没有进家门，就又赶赴机场搭上去日内瓦的班机。常年的远途飞行，不间断地调整时差，不能按时吃到可口的饭菜，不能有安稳的睡眠，这些都极大地损害了邹峰父亲的身体，让邹峰的母亲很是担心，但是她没有料到竟还有更不幸的事情发生。一九六三年七月邹峰的父亲携带绝密文件再次飞往莫斯科执行传递任务，他乘坐的苏联客机在伊尔库斯克机场冲出跑道，起火爆炸，邹峰父亲与同行的另一位信使以及机上二十七名乘客和机组人员全部不幸遇难。至今邹峰父亲的骨灰还静静地存放在八宝山革命公墓骨灰堂，与他衷心服务过的那些党和国家领导人的骨灰同处一室。面对这个巨大的打击，刚上小学的邹峰就不得不开始学习独立生活，逐步养成自立的习惯。在家里自己洗衣服，在学校独立完成作业，不管遇到什么困难也总是设法自己解决。他的这种自立自强的习性赢得了同学的尊重和老师的喜爱。从小学开始邹峰就一直担任班干部，到了中学自然就成了学校“革委会”中的学生代表。学校成立排球队，排球队队长的工作责无旁贷地落在他的肩上。这次去当兵，匆匆忙忙地离开学校，他心中最大的遗憾就是没有机会亲自向一直培养他的几位老师道别，“只好等到了部队再给他们写信吧”，邹峰在最后一次走出校门时心里这样想。

邹峰在自己的房间里忙着收拾东西，倒是弟弟第一个发现哥哥今天晚上的举止有些异常。他先是跑进来问是怎么回事，然后再跑回去告诉了妈妈。邹峰妈一听便赶紧进屋问个明白，确认儿子是去太原的部队当兵，这才把心放下。虽然走得匆忙，但是这总比去农村插队强啊。想想大女儿，中学一毕业就被送去黑龙江生产建设兵团，说是兵团，其实就是个半军事化的农场，一年到头和黑土地打交道。东北那地方那么老远，天气寒冷，皑皑白雪终年不化，把个宝贝姑娘冻得要死要活的，一想起来邹峰妈就忍不住要流眼泪。现在儿子要去当兵，去的是正规的野战军，部队上管吃管喝，还发衣服，这不知道要比他姐姐好多少倍。当几年兵，争取在部队入了党，有个三年五载的就又复员回到北京，到时候武装部会负责安排工作，所以当妈的对邹峰选择去部队当兵完全不担心。

听说哥哥要去参军，弟弟非常兴奋，不停地问这问那——“穿国防绿军装？”“戴领章和帽徽？”“发枪吗？”“什么枪，手枪还是半自动？”“会不会去和苏修打仗？”问得没完没了。对弟弟的这些问题，邹峰完全没有答案，可也不能扫了他的兴致，所以就努力回想过去在小说中和电影里看到的情节，编几个故事哄他，可是时间一长，弟弟也觉出来哥哥是在蒙他，索性回到自己的床上看小人书去了。

收拾好东西，邹峰跟家里人说了一声“我走了哈”，就一个人开门下楼了。坐在几乎空无一人的 9 路公共汽车上，邹峰一路上不断地在心里嘀咕：当年姐姐去东北兵团，可是全家出动给她送行，连小弟弟都没有落下，怎么今天到我这儿就没人送了呢？大概他们当我这是出门上外地秋游去吧？其实邹峰对此并不十分在意，他真正担心的还是他的班主任。这次偷偷摸摸地去参军他只告诉了身边几个非常要好的同学，连班主任也没有告诉，因为怕她不放他走。这着实让邹峰心里觉得非常过意不去。从入学开始班主任就对邹峰很好，一直在关心他，努力培养他，给他各种机会，让他担任各种工作，结果他最后竟然一声没吭地溜了，这有点儿太不够意思了。“写信，到了部队就马上给老师写信，第一封信就写给班主任。”邹峰在车上暗下决心。

西城 云梯胡同七号 一五零中学教工宿舍

像往常一样，晚饭后夏老师一家人坐在一起看电视，不过今天晚上夏老师似乎有点心不在焉，他看一会儿电视就抬头看看墙上挂着的时钟。

“今儿晚上是怎么了你？老抬头看那个挂钟干吗呀？”夏老师的爱人终于忍不住了，“你别是有什么事儿吧？”

“哦，没事没事，我就是觉得今天晚上的时间过得特别慢。”夏老师应付道。

“慢？慢什么慢？时间每天都这样过啊？上课下课，吃饭睡觉，要不就看电视，然后第二天起床，又是上课下课，吃饭睡觉。今天怎么就慢了呢？你是不是有什么事情瞒着我啊？有话就直说哈，别掖着藏着的。”

"没有，真没有。看看这是想哪儿去了你。"夏老师说完尴尬地笑了一下，最后瞟了一眼挂钟，便努力集中精神和家人看起电视来，然而他的心思还全都在他那十几个学生身上。

夏老师是"文革"前的大学毕业生，在北京师范大学体育系主修一百一十米跨栏，毕业就被直接分配来了师大女附中。当年还没有所谓"重点中学"这一说，但是能分到这所中学当老师的应届大学毕业生，不用问，一定都是好样的。夏老师曾协助什刹海体校的林教练把女附中女排带成了全国中学生排球比赛的冠军队，所以"文革"后期当市体校准备重新建设北京市基层中学体育队伍的时候，自然首先就想到夏老师。果然他不负众望，在各个年级中积极搜寻身体条件好的学生，想方设法把他们拉入刚刚成立的排球队，同时又亲自动手修建排球场地，到处寻找训练器材。不论严冬酷暑人们都能看到他矫健的身影活跃在排球场上，手把手地传授排球技能和各种战术。正可谓"功夫不负有心人"，夏老师带领的女附中男子排球队一次又一次地夺得西城区和北京市的排球比赛冠军，几乎可以说是打遍京城无对手。只有一次例外，北京市中学生排球冠军的称号让朝阳区的日坛中学给夺走了，他们的队长恰恰就是邹峰。不过这次失败也是因为那年女附中排球队的主力队员都被抽调去了北京市排球集训队，准备参加"文革"开始以来的第一届全国中学生排球比赛。

现在夏老师冒着风险把自己心爱的学生偷偷送去参军，做这种事情他自己心里也没底。他就是本能地觉得自己的所作所为应该对得起这些学生和他们的家长，让这些孩子的一技之长在这个动荡的年代能找到施展的地方。“现在他们几个人一起去了六十三军，这样一来排球队里的队员基本就都有了着落。主攻手陈建民已经到了昆明军区排球队，队长王小弈也去了国家机关。田地是球队的主力二传，同时也是队里出身最不好的一个，这下他也参了军，这就好了。”想到这里夏老师的心里一下子变得踏实了许多，精神也慢慢地集中到电视里正在播出的节目上。

北京火车站

二哥陪着田地乘地铁到了车站。走出地铁后他先去车站售票处花了一毛钱给自己买了张站台票，然后再从田地手里接过那个灰色人造革旅行包，兄弟俩这才一前一后地进了站。

这一路上二哥的话几乎就没有停过。他耐心地给弟弟说明家里的情况，真心希望田地能明白父母和一家人目前的处境。一九六六年“文革”一开始，父亲就被当作“走资派”打倒，不仅被罢了官，扣了工资，家也被红卫兵反复抄了好几次。可怜的奶奶，刚刚过了九十岁生日，就在担惊受怕中去世了。奶奶去世后父亲被押送去房山劳动改造。母亲当然也受到了冲击，被下放河南漯河的“五七干校”。大姐虽然远在成都当工人，姐夫是清华大学毕业的工程师，多年来和北京的家人几乎没有任何来往，可是也照样受到牵连，在各自的单位抬不起头来。一九六八年毛主席号召“知识青年到农村去”，还说在农村的广阔天地里可以“大有作为”，于是全国各地立即开始了知识青年上山下乡运动。

田地二姐去了陕西渭南乡下，大哥大学毕业后被分配在安徽蚌埠附近的国营农场。二哥跟着三十一中的同学一道去了山西南部的运城县插队，他这一走到现在已经是整整六个年头了。如今虽然父母陆续回到北京，但是五个孩子分散在四面八方，当父母的心里总不是个滋味。当然这几年田地也没少吃苦头。奶奶去世后，“造反派”把照顾她的阿姨赶回老家了，北京的家里就剩下他一个活蹦乱跳的孩子，同时还要照看一位瘫痪在床的外婆，这对一个十三四岁的男孩子来说实在是太难了。除了上学，中午晚上还要赶回家给外婆做饭，换洗衣服。那时候田地最最需要的就是几个要好的同学和一群打打闹闹的小伙伴，可是就连这点儿需求也难以满足，那些小时候的玩伴儿因为他是“资产阶级的狗崽子”都纷纷离他而去。幸亏夏老师让他参加了一五零中学的排球队，这才令他进入了一个可爱的群体，结交了一群充满活力并且积极向上的男孩子。“这大概就是咱们家的情况。这几年父母不容易，你也不容易，所以说真的，去不去当兵完全是你的事，根本不要考虑我是否能回北京的事儿，明白吗你？”

田地马上就要高中毕业了，对二哥说的这一切早已心知肚明，“男孩子嘛，到了关键时刻，总要挺身而出！”所以他只简单地说了两个字“明白”，算是对二哥这番苦心的回答。可是接下来二哥的问话却让田地暗暗地吃了一惊：“你这么想和同学去插队，是不是在班上有女朋友了？”田地不敢抬头看二哥的眼睛，也不知道如何回答才好。说没有，可是田地确实对班上的一两个女生有好感，特别是上了高中以后，这种朦胧的感觉就逐渐趋于明朗。他总想看见她们，想听她们说话，想知道她们在做什么，在看什么书，听什么音乐，当然也包括她们毕业后的打算。

说有，他跟她们完全没有单独接触过，最多只是远远地看两眼罢了。那时候的中学生还有所谓的“男女生界线”，上课时男女生就是坐在同一排座位上，两张桌子中间也要特意留出一条缝隙。下课后更不能跟女生说话，否则就会招来“给他一大哄哦”的叫喊声，闹个大红脸不说，在男生中立马威信扫地，再也抬不起头来。

田地正想着如何回答二哥的这个问题，突然听到远处站台上有人大叫：“田地！我们在这儿哪。”他顺着声音望过去，站台上那一头站着一群大小伙子，有十好几个。看到他们，田地的眼睛顿时露出了喜悦和兴奋的目光，顾不得回答二哥的问话，就朝着喊他的那群人飞奔过去。一边跑一边手舞足蹈开心地大声喊道：“我X！原来咱们是一块儿去啊！”

西城 广播局 三零二宿舍

“真舍不得他走，这才过了十九岁生日没有几天啊。”

“当兵是好事情嘛，他能参军说明他这几年在学校和体校表现得都不错，他不是还加入了红卫兵吗？他能当兵，也说明我的问题不很严重，否则部队是不会要他的。”田地妈刚要插嘴，田地爸又接着说，“你别急，我知道你想要说什么。不过你倒是先要想想当年你偷着离开家的情形。为了寻找抗日队伍，偷着从山

东跑到山西，那时候你才多大？比他现在还小嘛！我那时候跟着大哥去上海投奔共产党，也不过是十四五岁。”

“那是战争年代啊！”田地妈还在争辩。

“和平年代也要参加革命，不是吗？行了，不要再胡思乱想了，人都上了火车，你说什么也没用了。他去部队就算正式加入了革命队伍，投身了革命，这也是咱们家的传统。你是独女，可我那两个哥哥还不是被国民党杀了？他现在还根本谈不到为革命献身，只不过是去山西当兵，离家远了一些。他在部队还可以学文化，每个月还有零用钱，这不比去郊区插队好多了吗？小小年纪真要是去当了农民，他以后能有多大的出息？行了，快睡吧。”田地爸说完转过身，关上了灯。

黑暗中田地妈睁着眼睛愣愣地盯着天花板，仍在心里自言自语：“山西，又是山西。中学没毕业我就跑去山西找抗日队伍，后来又去了延安。老二中学刚刚毕业就被送去山西插队，六年了还没能回来，现在老三又去山西，难道我们家上辈子欠了山西什么吗？虽说是去参军，但是山西是个什么鬼地方啊，穷山恶水，一年到头吃不饱穿不暖，哎，可怜的孩子。”想着，泪水顺着她的眼角流了下来。

在以后的几十年里，每当遇到人生道路上的一个转折点，田地都会不知不觉地想起当年曾经问过自己无数遍的问题：去插队，还是去当兵？

为什么那时候他非要一个劲儿地闹着去插队？从感情角度

上说，田地是十二分地舍不得离开高中班的那帮同学，包括男同学和女同学。离开学校去参军前田地在一五零的“高二 2 班”读书。那时学校的高中一共只有两个班，一班学俄语，二班是英语。英语班一共有六十多名同学，都是从初中五个班级二三百名学生中“择优录取”的。田地不是优秀学生，他的学习成绩很一般，大多是“良好”，偶尔得到一个“优秀”，很快就会被下一个“良好”平均下去。他的出身更不好。父亲被批判，既是历史上的“叛徒”，又是当今的“走资派”。田地能侥幸上高中完全是因为会打排球，他代表北京市中学生参加了全国比赛，所以才有幸被破格选拔。田地所在的高二 2 班是一个学习成绩优秀、文体活动开展得好、同学积极向上、集体荣誉感很强的群体。七十年代初期社会剧烈动荡不安，学校风气不好，没人用心读书，在这样的环境下能有这么一群朝气蓬勃的年轻人以及优秀尽职的教师，真是非常难得，直到今天田地回想起来仍然觉得有些不可思议。田地后来又上了大学，更在美国进过研究生院，可是他再也没有遇到过一个这么可爱、让他在内心深处感到依依不舍的学生群体。“一旦离开了那个班集体，就再也找不到一个相同或者近似的了。”田地总是这样想。时至今日，每当田地回到北京，都会设法参加高中同学的聚会，见见面，聊聊天，相互问候一下，想努力找回当年的那种内心感受。

与此同时田地在他年轻的思想意识里真觉得到农村去插队也同样是一个不可再有的历史机遇。他认为这就好像当年红军去长征，你不跟上走，那就会掉队，就会脱离一个时代大潮，将

来迟早有一天会后悔。他朦胧地意识到中国是农业大国，是几亿农民真正左右着中国的社会生活。没有在农村生活过的人就不会了解农民，就不会了解当今的社会，就会对很多事物丧失发言权。道理很简单。大家都去过农村，都干过农活，都跟农民一起生活过，而唯独你却没有，你甚至连真实的农村生活都没有见识过，根本就听不懂农民在说什么，他们想要什么，更不要说亲手干农活了，所以在讨论一系列社会问题的时候，你根本就插不上嘴。这个想法在当年看起来很激进，现在说起来也挺可笑，不过仔细想想，却有它的道理。经历过上山下乡插队落户的这一批年轻人全国大约有一千七百多万，而红军完成长征的时候才不过三万人。结果呢？这三万人发展壮大到三百多万人，而且打下了天下。新中国成立后，解放军人数最多的时候也就是六百多万人，但是他们固守了祖国的万里边防。这么看起来，这一千七百多万上过初中、高中和大学的青年学生，他们至少可以算是这个国家的一股充满青春活力的社会激流，它流经的地方难道就不会留下什么不可磨灭的痕迹，或者创造出什么惊天动地的人间奇迹来吗？

当年田地年龄还小，不可能想得这么多、这么细、这么远，不过他那时就对自己参军的决定心存疑虑，不知道参军这个决定对他个人的未来是否是一个正确的选择。虽然不是十分情愿，他走上了当兵打球的道路，就不可能再去上山下乡，也不大可能进工厂当工人。他未来的几十年，就要沿着他在十几岁的时候选择的这条道路一直走下去，不论前途如何。田地今后会再次走到人生的十字路口，会多次面对人生道路的选择，每当这时他总会回想起一九七四年十一月的这一天，总会回到他是应该选择上山下乡还是参军打球这个问题上来，因为参军毕竟是他在人生道路上自主做出的第一个选择，参军成了他人生的起点，并且永远无法改变。

第三章

『新兵蛋子』

山西 太原 坞城路 六十三军军部

直到上了火车鲁圣才搞明白他手里拿的是张硬座票。

“坐这硬板凳去太原，一路上少说也得有十来个小时吧，等到太原胳膊腿还不早就僵了，那还打个什么球呢？这堂堂的六十三军怎么说也有三五万人吧，他妈的怎么这么抠门儿啊？真是‘老西子’！”他一路上都在嘀咕，想不明白。好在同行的基本上都是常青教练的学生，虽然不全是一个队的，比如那个正在高谈阔论的田地，但好歹也算认识，过得去。外边儿来的一共就两个。那个叫马志的，是海淀日新中学的，看上去就是个小鸡子，好对付。可是临到开车突然蹿上来个朝阳的邹峰！一看见他，鲁圣这气就不打一处来。一九七三年北京市比赛，本来冠军肯定是西城的，没想到不知道从哪儿冒出个朝阳体校队，愣是把冠军从手里给夺走了，领头的就是这个姓邹的

“四眼儿”。居然丫也被招到六十三军来了，不仅在一个队，而且还和我打同一个主攻位置。“行，这下好了，非得狠狠地整治这小子不可，别忘了这队里可都是我们市体校的人。”鲁圣暗暗下定了决心。

不过见到邹峰还不是最倒霉的事，最倒霉的是眼看火车马上就要到太原了，忽然来个紧急刹车，“咣当”一停就是俩钟头，也没人告诉一声是怎么回事情。好不容易熬到开车了，乘务员这才走过来说“刚才撞死了一个要饭的”。鲁圣是个天不怕地不怕的人，但是他最怕遇见死人。可这事也巧了，当火车重新开动后，他朝窗外一瞥眼正好看见那个被撞死的人，躺在铁道边儿上，身上盖了半张破草席，头给撞烂了，裸露在外面，那些乱七八糟的脑浆子一下子填满了鲁圣的瞳孔，把他恶心的啊，差点儿就把前儿晚上吃的告别饭全都吐出来。“真他妈晦气死了！”好不容易熬到了太原，“嘿，丫李干事也不来接车，就派了个小司机，举个破牌子，上面写着‘欢迎北京排球队！’”小司机开了辆解放牌大卡车，还是个敞篷的。他胡乱地把他们的行李装上车，然后就把鲁圣一行拉到军部来了，说是先在招待所住两天，休息休息。

招待所是俩人一屋，鲁圣和另外一名主攻手大成住在一起。别看大成平时不爱说话，到了晚上睡觉他可不闲着。只要头一挨枕头就着了，一着就开始打呼噜，而且那呼噜打得倍儿响。鲁圣想找个东西把耳朵堵住，结果房间里什么也没有。两张床中间放了一张桌子，桌子前面有把椅子。床上是一个脏枕头，枕头上面铺了一条花毛巾。剩下的就是床单和下面的褥子，褥子里包着的是稻草垫子。没法子，他只好用被子蒙住头，可是被子里面一股臭脚丫子味儿。鲁圣的父母都是中学老师，平日把家里收拾得干净、整齐、舒适，打小他就没受过这么大的罪。

第二天早上鲁圣迷迷糊糊地觉得有人叫他，勉强睁开一只眼，原来是大成站在床边儿叫他起来吃早饭。

“我不吃！”鲁圣没好气地说。

“吃点儿吧，你看，我都给你打回来了。”

“打回来我也不吃。”

“来，先吃点儿，刚才李干事派人通知说，一会儿军里有人来看望咱们。”

“看他妈个屁！跟那个姓李的说老子病了，要吃病号饭，要煮挂面，富强粉的，还要加上俩鸡蛋和西红柿。”鲁圣把头蒙在被子里大声喊叫。

六十三军军部坐落在坞城路上。马路两边各有一排整齐的穿天杨，虽然秋风已将树叶扫落了大半，但是树枝树干的气势还在，高大挺拔、威风凛凛，每当从树下走过，令人产生一丝敬畏。坞城路在太原的老人眼里其实是一条不太入流的普通街道，因为它所处的位置是当年太原城外的南郊。它北面始于长风街，南面止于山西大学校门，从山西大学校门再往南就没有路了，一大片菜地和农田，如果非要再往南走那就是荒郊野地了。往北是一片小树林，每天下午放学的时候一群群的孩子把书包往地上一丢，就玩起了各种游戏，不到天黑不回家。坞城路上跑着 103 路

电车，拖着一条长长的“大辫子”。大概是当年路况太破太烂的缘故，人们经常能看到电车“掉辫子”的情形。遇到手脚麻利的司机师傅，在一车人的注目下三下五除二就能重新把电车的辫子扎好，很快上路，赢得满车乘客的喝彩。要是遇到手脚不那么利索的新手，鼓捣半天也不行，令车上的人大失所望。太原人除了去山西大学或者到周边的村庄，一般很少有人走这条路，即便经过这里也没有人会留意那一排排隐藏在绿树后面的营房。

六十三军军部分成军事区和非军事区。军事区在路东，大门二十四小时都有荷枪实弹的卫兵把守。进了大门正对面是司令部，政治部和后勤部的办公楼分别建在两边。其他军部直属单位，如警卫营、通讯营、教导队和医院，分布在军事区的各个角落。

非军事区是家属院，在路西，也有卫兵站岗，属象征性质。这个院子进进出出的都是司政后机关的家属和小孩子，没必要认真检查他们的身份。反而如果你主动向卫兵打招呼问路或找人，那就对不起了，需要填写正式的会客单，然后还要里面的人出来接你进去。军部招待所、被服厂、食堂、浴室和大片的家属宿舍都散落在这个非军事区的院子里，平时乱哄哄的，看上去就像个农村的集市。

这天吃过早饭，闲得无聊，这十来个从北京来的学生兵晃晃荡荡地溜出了家属院的大门。往两边看看实在没有什么别的地方好去，他们就穿过马路径直朝军部大院走了过来。值班的卫兵早就看见了这群身上没有军装的大个子，知道这是一群刚刚才从北京招来的新兵，为的是要组建军里的排球队。因此卫兵也就没有阻拦，反而朝他们点头笑了笑，让他们大模大样地走了进去。穿过司政后的大楼，这群人来到一处用红砖墙围住的小院，院子里有几栋二层的小洋楼，楼和楼之间种着果树，院门口有两个站岗的。这两个警卫与在大门口站岗的截然不同，表情严肃，一丝不苟，说什么也不放这群穿老百姓衣服的学生进去，双方正在争执的时候，忽然从身后传来一声“啊，这大概就是刚刚从北京来的学生兵吧？欢迎，欢迎啊！”

听到声音大家纷纷转过身，一看原来是一个身着军装的小老头，他的军上衣是四个兜的，是位干部。大家一下子就把他围在了当中，七嘴八舌地询问了起来。

“您一定是这里的干部，您给我们说说，我们来太原都好几天了，怎么也没人管我们啊？”

“对啊，也没人提给我们发军装的事情啊？”

“在北京的时候，李干事可是答应我们一到太原就发军装的。”

“他还说让我们去福建冬训呢。”

“可这李干事怎么也没影儿啦？”

“别是被他给骗了吧？”

听了最后这句话，小老头开心地笑了。“骗了？他能把你们这十几条大汉从北京骗到太原？如果他真有这么大的本事，那他李干事还不得当个师长旅长的啊？”说完小老头伸出手同每个人

握了一下，然后解释说这次军里决定成立男子排球队，是根据总部首长的指示，要大力开展部队的体育活动，特别是军师团三级的体育活动。前几年中苏边界局势紧张，大搞战备，毛主席说要深挖洞，广积粮，部队上上下下都在准备打仗。现在呢，美国总统尼克松不是来北京访问过了吗，毛主席和周总理都接见了他，这样看来北边的苏修就不敢轻易对咱们动手了。所以军区首长指示我们，要抓紧利用这个时机，把部队的文体活动搞一搞，活跃一下部队的气氛，同时也好好锻炼一下战士们的身体。“你们说他李干事有这么大的本事吗，啊？”说到这里小老头开心地笑了。

军政治部会议室布置得非常简单，几乎是四白落地，只是在正面墙上挂着一张标准的毛主席彩色画像，对面墙上贴着“党指挥枪”和“支部建在连上”两幅红纸黑字的标语。

李干事端坐在长条会议桌的一边，正在向军政治部首长汇报他此行北京招兵的经过。他逐一汇报了这十三名北京新兵的身体条件和体育技能，现在他开始介绍他们的政治面貌。“总的说，他们的政治面貌比较简单，都是“文化大革命”开始以后才入学的中学生，没有打砸抢行为，而且全都加入了学校的红卫兵组织。他们里面没有学生党员，只有朝阳区日坛中学来的那个叫邹峰的是共青团员。据他学校老师介绍，邹峰当了多年的班干部，学校正在考虑在他毕业的时候让他留校当政治辅导员，同时考决他入党的问题。另外……”

突然门外一声洪亮的“报告！”打断了李干事的汇报，没等会议室里的人做出回答，一个小战士就推开门冲了进来，气喘吁吁地大声说：“李干事，不好了，你带来的那些北京兵，不对，那些北京学生，把咱们军长给包围了，他们现在正在首长院门口质问他呢！”

“什么？！”李干事一听顿时血压升高，挺白净的脸涨得通红。他连忙起身向政治部的几位首长说了声“这群新兵蛋子也太不像话了，我马上去处理！”说完就跟着来人三步并两步地跑出了会议室。

小老头站在那里兴致勃勃地给这群新兵讲军史。他说六十三军可是一支战功卓著的部队，它组建于抗日战争时期，转战晋察冀战区，也就是今天的河北、山西和内蒙古一带。解放战争时期它隶属于解放军第二野战军，就是刘邓大军，参加了平津战役、淮海战役。到了抗美援朝，它是第二批入朝作战部队。全军将士英勇无畏，面对强敌，勇猛作战。六十三军是当时威震朝鲜的一支虎狼之师，被志愿军总司令授予“铁军”荣誉称号。总司令说六十三军“是一支真正的铁军”，他要向毛主席亲自汇报我们军的英雄业绩！“比如军坦克二十五团、二十七团和二十八团，是全军第一批进入朝鲜的以团为建制的装甲部队。坦克二十八团曾经孤军深入一百七十华里，突然出现在法军阵地的侧翼，迫使法军及比利时军全线崩溃。还有我们一个步兵团三千人，在被美军和南朝鲜军两万人包围并且没有援军的情况下，艰苦作战四个

昼夜，击退敌人多次进攻，歼敌五千余人，其中的步兵六连二百余人，牺牲将近一百八十人，所剩将士在连长带领下身绑炸药包冲向敌军，与冲锋的美军同归于尽。当我援军赶到时全团仅剩下副团长在内的四十余人，其余将士全部壮烈殉国。增援的战士看到军旗依然屹立在阵地上，没有一个战士投降。当年一个曾经参加过硫磺岛战役的美国士兵后来感慨地说，他曾经被日本军人的武士道精神所震撼，但是今天才知道什么是真正的残酷。如果是这支部队守卫硫磺岛，那么他们最后只能退回到大海里。”小老头正聊到兴头上，突然身后传来一声“报告军长！”这一嗓子把大家都吓了一跳。小老头转过身，一看是李干事，便说：“李干事，你来得正好。你这次招的这群小伙子很不错啊！身体条件好，文化水平高，参军的要求也很迫切，今后你可要好好带他们啊！”说完拍了拍李干事的肩膀。

见了这架势，这些学生兵不自觉地都往后退了两步，相互交换着惊喜的眼色，怎么也不敢相信站在面前的这个小老头竟然是六十三军的军长！军长本人这时也察觉到了他们神色的变化，笑着说：“怎么，我不像个军长吗？你们以为只有那些骑着高头大马、腰里别着手枪、手中挥舞着大刀冲锋陷阵的才是你们心目中的军长？”说完军长大笑起来，他这笑声让这群从北京来的新兵摆脱了一时的尴尬。“过不了多久就要过新年了，”军长转过身对着李干事说，“我建议让他们这些新兵给咱们的战士们来场表演赛，提前庆祝新年，同时也让咱们的战士们开开眼，看看什么叫排球，你看好不好啊，李干事？”

“啊—— 好好，可是军长，目前咱们的排球场地还没有修好，设备也没有到齐呢。”李干事结结巴巴地回答，“要不我看这样吧，让他们礼拜天先跟咱们警卫营来场篮球友谊比赛，军长您看怎么样？”

“篮球比赛？你们会打吗？”军长转身问大家。

“没问题啊！”“那还不是小菜一碟儿！”这群北京兵顿时得意扬扬起来。

“好！那就这么定了。到时候我请司政后的领导都来观战，你们要好好打，可不能丢了我的面子哟。”

每逢星期天，部队只开两顿饭。军长布置的篮球友谊赛在今天下午饭以后举行。司令部楼前的广场上立了两个篮球架，李干事派人用白油漆画了个临时场地。球场一边摆了几排椅子，都是从司政后大楼里各个会议室搜集来的，专门留给各位军部首长。另外三边是军部直属队的位置，饭后他们早早地就把队伍带了过来，坐在小马扎上不停地唱着革命歌曲，一首唱完了就向其他连队拉歌，此起彼伏，歌声震天。

警卫营篮球队的战士早就换上了蓝裤衩红背心，脚上穿着绿袜子和解放球鞋。他们在球场上不停地活动着，跑动、传球、上篮，很快头上已经开始冒出白色的热气。这时候排球队的那十几个人才晃晃悠悠地从大门外走进来。在李干事的带领下他们按大小个排成两列，步伐不齐，看上去也没有警卫营的战士们精神。

眼看比赛马上就要开始了，李干事还在一旁反复叮嘱：“告

诉你们哦，这是给军部司政后首长打表演赛，你们可不要乱来。要好好地打，比赛完了就给你们发军装，然后就去福建冬训。我知道他们警卫营根本不是你们的对手，但是你们也要手下留情，这些战士都是咱首长身边的人，可不敢把人家赢得太惨了。你们都听明白了没有？”看到队员们纷纷点头表示同意，李干事才放心让他们进场。

有些日子没有在球场上活动了。一上场队员们的心跳立刻加快，血液快速地流动起来，身体内的这种变化让大家兴奋、快乐、激动，每个人的脸上开始露出往日的笑容。排球队首先上场的是黄涛、大成、鲁圣和邹峰四个主攻手，外加左撇子赵彬。他们五名队员充分发挥身高腿长、跑动速度快和弹跳力好的特点，大打“空中优势”，抢篮板、盖帽、扣篮，精彩的表演不断赢得直属连队观众们的大声叫好，尤其受到通讯营和卫生所女兵的高声赞美，这让排球队员们越打越勇。随着时间的推移，这些学生兵把李干事赛前的叮嘱全都丢到了脑后，他们努力拼抢，一点儿不让，场上的比分随之拉大。警卫营的战士虽然尽力拼抢，努力防守，可毕竟不是这些受过多年专业训练的运动员的对手，逐渐没了士气，比分也进一步拉大，令人预感到一个惨不忍睹的结局近在眼前。这个比赛场面让李干事心神不宁、坐立不安。趁半场休息的时间他赶紧跑过去同政治部领导商量，当即决定把同警卫营的友谊比赛改成了排球队的篮球表演赛。

排球队员按大小个站好，然后按单双数平均分成两队。下半场的哨声一响，他们双方就立刻相互厮杀起来。年轻好胜的火焰在每一个场上队员的胸中燃起，他们快速跑位，利用长距离传球把对方的防守阵线拉开，然后大胆果断地切入，运球，上篮，得分！比赛精彩纷呈，比分交错上升，场外观众的情绪空前高涨，叫好声震耳欲聋。

军长坐在那里看得也很开心，不时起身给运动员们加油，还同身边司政后机关干部交换心得。他在心里暗暗夸奖李干事："这小子北京招兵干得不错嘛，把比赛临时改成表演赛处理得也很有头脑。看来以后还要往他肩上多加担子，说不定会成为一名很出色的政工干部。"军长正在心里高兴地琢磨着，可是眼前赛场上的形势却让他脸上的笑容慢慢地凝固在那里。

比赛已经进入尾声，双方比分咬得很紧，场上气氛开始白热化。两队运动员之间拼抢激烈，身体接触变得粗鲁、凶猛，甚至到了危险的程度。这时候邹峰接到赵彬从左面的一个长传，看准机会，他果断切入对方防区，先用一个假动作晃过大个子中锋黄涛，接着一个三步上篮，眼看就是一个关键的得分球。突然鲁圣从黄涛侧后方直扑了上来，照准邹峰手中的球就是狠狠地一击，嘴里还叫喊着："看你丫往哪儿跑！"邹峰上篮速度快，假动作幅度大，鲁圣这一记盖帽没有打到球，却重重地打在邹峰的脸上，把眼镜打飞到场外。

比赛忽然定格在这个瞬间，观众也都一下子屏住了呼吸。

邹峰用手捂着脸，慢慢走到场边，从地上捡起眼镜，镜片已经摔碎了。只见他用力把眼镜往地上一摔，突然转身，猛地朝鲁圣扑了过去，两人顿时扭打在一起。你一拳我一脚，毫不相让。

紧接着二人又翻倒在地，邹峰倚仗身体重，骑在上面，双手死死掐住鲁圣的脖子。鲁圣胳膊长，先掏出左手，反卡邹峰的喉咙，然后用右勾拳连续猛击邹峰的太阳穴。直到这时双方队员才觉出他们这两人是真打起来了，赶忙跑上来把二人死死抱住，用了很大力气才把他们分开。可是两人互不相让，仍然大声叫骂，几乎挣脱队友的阻拦！

眼看篮球表演赛变成了一场你死我活的角斗，军长“呼”的一下从座位上站起身，扭头朝身后的司令部大楼快步走去，不时侧过脸来对紧跟上来的警卫员吩咐着指令。

司令部会议室窗帘紧闭，灯火通明。李干事一个人笔直地站在那里，直视前方，一动不敢动。司政后各个部门的首长都在场，整个会议室却只有一个声音在回响。“各种球赛我看多了，有他们这么打球的吗，嗯？他们哪里是在打球，明明是在打架嘛！打篮球有身体接触，碰碰撞撞，难免。小伙子动动嘴，甚至动手打几下也没什么了不起。但是你看他们，他们身上爆发出来的那股子怒火，简直就像在战场上看到了敌人！我告诉你李干事，如果今天旁边没有人拦着，一定会闹出人命。你别看他们才十六七岁，但是下手可真狠啊，就像当年北京学校里的那些红卫兵，打起人来真不要命。咱们老政委亲口跟我说过，北京中学红卫兵打人的凶狠程度令人根本无法理解！男同学打人还能说得过去，可连那些女娃娃也打人，甚至把她们的女校长给活活地打死。”军长双手叉腰，气哼哼地说，“前两天在政治部汇报时你说过，咱们这些新兵年纪小，没有赶上六六、六七年的红卫兵运动，可是他们也没有在学校里受过正规的教育啊！从小学一二年级开始就受无政府主义的影响，天不怕地不怕，在学校造老师的反，不守学校规矩。我问你，我这里是什么地方？我这里是野战军！我再问你，野战军的任务是什么？是要随时准备打仗！不管外面社会上怎么乱，但是军队不能乱，更不能把捣乱分子招进部队来。那天他们几个围着我说要军装，还说要有四个兜儿的。是谁说的要给他们发干部服的？是你答应他们的吗，李干事？”

“没有没有，我可不敢答应他们穿干部服。”李干事惴惴不安地回答。

“我看你也不敢！没有当过一天兵，没有扛过一天枪，更没有上前线杀过敌人，就想穿干部服，做梦！还有，那天有个小个子跟我说要去南方冬训，冬什么训？把他们统统都给我下放到师里去，就去条件最艰苦的九师，明天就出发。让他们在下面好好锻炼锻炼，三个月的新兵训练一天也不能少！训练完了，表现好，合格了，让他们回来打球；不合格，表现不好，就把他们送到生产连去劳动改造，再不行就统统退回北京。让他们回学校打架去，反正我这里不是他们待的地方。”说完，军长怒气冲冲地走出会议室，其他几位首长也都跟了出去，把李干事一个人丢在那里，笔直地站着。

山西 原平 一八九师师部

原平县早在西汉时期就已设立，属太原郡管辖，自隋朝以后在历史上又称崞县。据当地老乡说当年八路军东渡黄河来山西抗日就是在这里下的火车，然后向北，部署在平型关。现如今崞县由六十三军的一八九师驻防。九师的三个团分别驻守在燕山山脉中的宁武、繁峙和代县，也就是史书中所说的“杨六郎守三关”的地方。九师的背后是七师、八师和军部，九师的前面是奉命防守大同一线的六十九军，再往前就是内蒙古大草原，那里归内蒙古军区防守。

把球兵们一个个安顿在师部招待所后，李干事赶紧回到自己的房间，把军长的指示一字不漏地传达给等候在那里的阎指导员。“九师这次把你从教导队调过来给排球队当指导员，你可要有充分的思想准备啊。”李干事说，“这些娃娃，从小在北京城里长大，娇生惯养，没有吃过苦，要把他们带出来，可不是一件容易的事情。就说那两个打架的队员，邹峰的父亲是烈士，本人是学生干部，还是队里唯一的团员。他的校长曾亲口跟我说，原本是打算让他留校当老师，还准备发展他入党。可谁想得到，竟然在军长面前大打出手。还有那个鲁圣，出身体育世家，他父亲是国家级田径裁判，当年我在山西大学搞田径的时候，就听说过他的名字，他在咱们国家田径界很受尊重。鲁圣的身体条件非常好，你不要看他瘦，但他跑得快，跳得很高，扣球也很猛，要不是我下手快，他和那个赵彬早就被北京队要去了。所以啊，指导员，看人也要一分为二哈。”说完李干事喝了口茶，放下杯子，“来来，我先把这十三个人的基本情况一个一个地跟你说一遍，这样你就心中有数咧。”

小文面无表情地躺在招待所的床上，眼睛盯着低矮泛黄的天花板，回想着路上所看到的景象 —— 一条颠簸不平的柏油马路从东向西穿过县城，与另一条更加破烂不堪的道路交会构成这个县城的中心。借着昏黄的路灯，隐约可见路口的东南角有个高台阶，白墙上用红漆写着“红旗饭店”四个大字。东北角有个日用品商店，橱窗里摆着自行车、暖壶和搪瓷脸盆儿什么的。它的旁边似乎是一家食品店，看得见里面一摞摞的糕点盒子。过了路口的交通岗台，右手是一家卖农具和土特产的商店，再过去一点儿是新华书店。左手有家百货公司，橱窗里挂着红红绿绿的毛衣和黑灰色的棉大衣。它的隔壁是个工厂，牌子上面写着原平什么什么机械厂。过了这个十字路口就是一片农田、几棵枯黄的老树，其余的就什么都没有了。想到这儿小文翻了个身，他的脸沾到了枕巾，一股汗酸味扑面而来，他赶紧把枕巾抽出来，揉成一团，扔到角落里。可是低头仔细一看下面的枕头，面上净是一圈一圈的黄印子，没法子，只好弯起胳膊垫着头。“真倒霉，怎么跑到这个鬼地方来当兵！”

成都军区招兵的干部到市体校来挑人，几次都说要小文去他们军区体工队打排球，可小文家里不同意，还是想让他继续上完高中。当时小文本人觉得家长说得也对，初中没毕业就不上学了，肯定是不好，所以下决心先在学校上学，毕业后再去专业

队打球。可是那时候学校的状况实在太差了，教室楼的玻璃没有一块是完整的，整个学校也是乱哄哄的。初三、高一的学生已经充分发育成熟，变得高高大大的，经常把老教师欺负得不敢来教课，这个学还怎么让人上？就是人到了学校，心里也觉得实在没意思。小文的这种矛盾心情，做父母的当然是全看在眼里。他们爱孩子，想让他高兴，更不想为难他，于是就松了口，当兵的事让小文自己做决定。小文这才又和成都军区的人联系。可那时候没有电话，更没有手机，只能写信。好几天过去了根本就没有回音，也不知道人家收到信没有。这么一来小文心里就慌了。“当初要跟人家走了多好，还是军区队！”此时小文心里后悔得不得了。他下定决心：以后不管是什么机会，只要能当兵，立马走人！所以李干事一露面，小文二话没说，马上答应跟他去。“什么去山西，什么队里有不认识的人，我才不管呢，只要是去当兵，我就特高兴。那天晚上一上火车，看见车厢里净是一个队里的人，心里就别提多乐了。火车一开我简直高兴得不得了。心想从明天开始就再也不去那个混乱不堪的学校上学了，天天打球，多好。”这时的小文有一种彻底解脱的感觉，就像笼子里的鸽子，一下子飞上蓝天，心里那个痛快啊，简直无法形容。可是一到太原他的心就开始凉了，觉得太原是个“破地方”，“没什么意思”。等再到了原平，那就彻底高兴不起来了。当初要当兵的热情一下子就凉了，在去太原火车上的那种愉快的心情也被这干冷枯黄、贫穷落后的现实给彻底粉碎了。“嗐，先忍着吧。”小文万般无奈地对自己说了一句，然后就闭上了眼睛。

李干事这次没骗人，到了原平第二天还真就发了军装。那天吃过早饭阎指导员把身着新军装的球兵们召集到招待所院子中间，听他上第一堂政治课。他从八一南昌起义开始，讲井冈山斗争、红军长征，直到八年抗战和解放战争。指导员站在那里口若悬河，说个没完没了。

当天的天气冷得简直可以把人冻死，加上一阵阵的西北大风，卷着黄沙吹得人睁不开眼睛。球兵们被他讲得心烦意乱，就盼着他早点儿结束。好不容易指导员把抗美援朝讲完了，又开始讲三大纪律和八项注意。就在这个时候小孟偶然听到指导员说了这么一句话："所以呢，我们军人不仅要服从命令，听从指挥，而且要以服从命令为天职！"这话让小孟打了一机灵。

"服从命令？服从什么命令？服从谁的命令？谁他妈的命令我？"小孟回忆说当时的大背景正是"文化大革命"的尾声，一九七四年又刚刚开始了"批林批孔运动"。他们这一群新兵可以说都是"文革"十年的亲历者，从小学一二年级一直到当兵前，他们亲眼看见了"文革"中所有的政治运动，他们的思维中充满了反叛精神，在家造父母的反，在学校造老师的反，他们是一群天不怕地不怕的红卫兵。只有体校的教练才能让他们心服口服，其他人的话，不管是谁说的，一概不听。"我估计当年的野战军部队没有受到'文革'的冲击，还在秉承过去战争年代的革命传统，还在大讲三大纪律八项注意，讲服从命令、听从指挥。在这种背景下，我们的思维模式与部队的革命传统完全是格格不入。我们到部队是来打球的，不是来当大头兵的，所以听指导员说要服从命令，而且还是天职，我马上感到事情有点儿不妙，肯定会闹出乱子。”以后发生的一连串事件证明小孟当时的预感一点儿没错。

一八九师 教导队

教导队是给连队战士开办的短期训练班，目的在于培养一批军事骨干，带动基层连队“兵教兵”的活动。虽说是基层军事训练班，可是他们的教官有不少是从石家庄步兵学校毕业的，还有的是当年全军“大比武”的英雄，比如“特等投弹能手”，可以把手榴弹投出近百米的距离；负责汽车驾驶训练的徐教官可以在高架火车铁轨上开大卡车，同时用膝盖换挡；负责射击的马教官是有名的“神枪手”，弹无虚发，百步穿杨。说来也巧了，马教官也是从北京来当兵的。

“对，跟你们一样，也是北京兵，朝阳区的。我那年没有考上高中，就参军了，到今年整整十年。”马教官在队列前走来走去，仔细审视着十三名北京兵。马教官的个子有一米八多，和这些球兵的身高比起来毫不逊色。消瘦的脸庞，细长的眼睛，皮肤晒得黑里透红。他身体看上去略显单薄，没有穿棉冬装，系紧腰带后给人一种精明干练的印象。在他身后不远处，教导队的正规学员们正在进行射击训练，口令、枪声和报靶声此起彼伏，响成一片，让球兵们感受到一种从未体验过的兴奋。马教官知道站在他面前的是一群特殊的新兵，一群没有枪、专门来部队打排球的球兵。阎指导员已经把球兵的情况都介绍过了，但是马教官坚持认为："球兵也是兵，当兵的首先要准备打仗！到教导队来的兵就要学会如何使用长枪、短枪、投弹、拼刺和徒手格斗，总之要学会如何消灭敌人的同时保护好自己。"马教官的声音异常洪亮，震得球兵们的耳朵嗡嗡作响。"我听说你们当中有人不喜欢按时起床，不喜欢整理内务，不喜欢队列训练，也不喜欢向上级敬礼。我告诉你，这里是部队，轮不着你说喜欢不喜欢。你喜欢的事情要做，你不喜欢的事情也要做，而且要做得更好，不然的话，我就给你处分！"说到这里马教官特意停顿了一下，让他刚刚说的话慢慢渗入这些新兵的脑子里、血液中，沉淀在他们的心里。随后他突然问道："你们当中有谁打过枪啊？"

队列里没有一个人应声，只有站在前排队尾的靳华悄悄地举起了右手。

"你叫什么？"

"报告教官，我叫靳华。"

马教官走到他面前仔细地把靳华上下打量了一下。"我知道你。你父亲是将军，在海军装备部工作，是位老革命。你看上去也挺精神。"说完他一伸手，从站在一旁的战士手中接过一支步枪，"这半自动你打过吗？"看见靳华很有信心地点了点头，马教官便下达了口令："好，靳华出列。一号射击位置，射击准备！"

在众人羡慕的眼光注视下，靳华接过步枪，快步走到射击位置，很老练地就地卧倒，两腿向右侧后分开，熟练地拉开枪栓，

接过一发子弹，果断地压进弹仓，接着大声地报告：“射击准备完毕。”

“目标右前方，一号半身靶，距离一百米，射击！”

听到马教官下达了射击口令后，靳华并不着急扣动扳机。他沉着地调整好标尺，左脸贴紧枪托，闭上右眼，屏住呼吸，然后才慢慢扣动扳机。“叭”的一声枪响，大家顺着声音朝前方望去，只见一号靶应声倒下，引起球兵们和教导队学员的一片叫好声。

马教官对靳华的表现非常满意，拍着他的肩膀，夸他不愧为“将门虎子”。说完他笑着转过身来对着球兵们大声说：“还有谁想试试啊？”这次大家都纷纷举起手来，争着要打平生的第一枪。

“你，出列。”马教官把站在后排的马志叫了出来，“你刚才说什么，打枪容易？你打过枪吗？”见马志一个劲儿地摇头，那马教官也不放过他，“来，打一枪让我们看看。”他拖着马志走到射击位置，把他按倒在地上，用脚把他两腿踢开，给他装上子弹，讲解了一下注意事项，然后把枪交到他手里后轻声说了一句：“准备好了，你就可以打了。”

马教官的话音未落就听到“叭”的一声枪响，马志手中的枪一下子从射击位置跳了起来，然后歪倒在一旁，接着听到“哎哟”一声惨叫，马志顾不得看一眼仍然立在那里的半身靶，丢下枪捂着腮帮子就跑了回来，嘴里还不停地嘟囔着：“这是什么破枪啊，后坐力这么大，而且那个准星都是歪的。”

听了马志的抱怨，马教官二话不说，从地上捡起枪，先吹了吹上面的尘土，又用袖子擦了擦，大声说："目标正前方，两百米，全身靶，立姿。"话音未落，五声清脆的枪声接连响起，远处五个靶子随声躺倒，引得周围教导队的官兵齐声叫好。再看看马志，他捂着脸，低下头，蹲在地上，看样子恨不得钻到地底下去。

事情并没有就这样结束。马教官从射击位置走回来，把马志从地上提溜起来，说："你今天不要急着下课，留下，把刚学的'立正—持枪卧倒—射击准备—射击完毕—起立的动作，复习一百次。靳华留下来给你数着，什么时候完成了什么时候回去。我让司务长给你们两人留饭。"说完，马教官带着球兵们回营区了，只剩下靳华和马志他们两人在操场上反复练习，直到天黑。从此以后，"准星歪了"这个笑话就在教导队里传开了，不论在哪里，谁见到这群北京球兵都会重复一两句，直到他们从教导队毕业的那天。

“手榴弹投掷是步兵训练的基础科目。”马教官声音不高，手中那颗67式木柄手榴弹牢牢地吸引住了球兵们的目光。据马教官说手榴弹最先是中国人发明的，后来随着黑色火药传到欧洲，这才出现了装黑火药的手榴弹，当时主要用于要塞防御。到一九零四年日俄战争，小日本鬼子的手榴弹在战场上发挥了很大的作用。第一次世界大战中由于堑壕战的兴起，手榴弹得到了广泛应用，当时较为典型的手榴弹有德国的木柄手榴弹，“就像我手中拿着的这个”。马教官把手榴弹在手中不停地敲打着，走到球兵中间，让他们仔细看看这颗造型简单、外表质朴的杀人武器。“此外还有英国的菠萝形米尔斯式手榴弹。在第二次世界大战期间又出现了空心装药反坦克手榴弹、燃烧弹、催泪弹等，但是万变不离其宗，手榴弹就是一个小型的炸弹。它的大致结构由手柄、拉火管、TNT炸药和弹壳组成，杀伤半径大约在七米左右，也就是说，我拉响了这个手榴弹，在这个房间里的人基本上就都别想活了。”说完马教官慢慢拧开手里那颗手榴弹的保险盖，轻轻从里面抠出拉火线，然后把它高高地举过头顶，他看了看这些目不转睛、表情严肃的球兵们，然后猛地拉出拉火绳，立刻手榴弹“呲呲”地冒起了白烟。

“他把那玩意儿举起来我就觉得不对劲儿，一看丫拉了线儿，我他妈血液一下子就不流了。心想这是跟谁啊？X他妈的我们招谁惹谁了这是？”鲁圣当时想跑，教室的门离他也不远，可是腿脚就是不管用，根本挪不动地方，愣愣地看着马教官手中的手榴弹一个劲儿地冒白烟。“幸亏这时候丫嘴角一咧，笑了，要不然我他妈肯定死了，不是被手榴弹炸死，是给丫吓死的，X 他二大爷的。”

接下来的投弹训练进行得非常顺利。球兵们原本就是运动员出身，经过多年的身体训练，跑跳投对他们来讲是再得心应手不过了。当年解放军手榴弹投掷考核分为及格、良好和优秀三个标准，投掷距离分别是三十米、三十五米和四十米，能投出五十米的战士可授予“投弹能手”称号。这四五十米的距离对球兵来说很容易达到，个子高的像邹峰，个子稍矮一点儿的像书第，投弹距离都在五十米以上。梁歌更是信誓旦旦地说：“书第可以投到六十米，是队里投弹最远的一个。”

球兵们的投弹训练成绩很快就由教导队报告到师作训处，然后作训处又上报军里。李干事说，军长本人听说了以后很高兴，认为他当时决定让这些球兵下连锻炼，还是大有好处。“现在可以考虑让他们逐步恢复排球训练，并择机去南方友军部队进行冬季拉练、比赛了。”

好景不长，军长表扬后没几天，李干事还没有来得及安排好排球队冬训的前期准备工作，球兵们就又出事了。

由于射击和投弹的平均成绩为优秀，而且投弹训练还受到军长本人的口头表扬，球兵们便又开始神气了起来，在他们中间滋生了一种当时被普遍称作“骄傲”“自满”的情绪。具体表现为不再把老兵甚至教官放在眼里，挂在球兵他们嘴边上的口头禅经常是“怎么着，不服气吗？咱们在投弹场上较量一下？”用这种挑逗式的语言报复那些还在跟他们叫嚷“准星歪了”的战士。这

个思想苗头阎指导员和马教官很敏感地注意到了，并试图给球兵们泼些冷水。马教官在第一次实弹投掷前曾这样说：“你们这些球兵的投弹训练成绩很好，把手榴弹扔得很远，超出了很多人的想象。不过你们不要骄傲，更不要翘尾巴。首先，全军手榴弹投掷最远记录是一百零二米，你们离那个记录还差得远。其次，普通手榴弹引信延迟时间只有 3.5 秒，实弹投掷达到五十米，它就会在飞行的空中爆炸。你们当中有的人，比如晓伟，肯定会说在空中爆炸的手榴弹的威力会更大，其实这是误解。只有将手榴弹准确地投掷到敌人阵地上空爆炸，距离地面高度还要小于十米才能保证弹片的杀伤威力，这可不是你们能够做到的。”

“这应该很好计算嘛。”果然晓伟不以为然地插话，“假如 3.5 秒后在四十五米处落地爆炸，那投它个五十五米，肯定在空中爆炸，而且根本不可能超过十米离地的高度。”

“又吹！”小文警告他说。

“嘿，不信咱们就试试啊，这有什么难的？”

看着晓伟这股满不在乎的劲头，马教官开口了：“好，试试就试试。来，晓伟，你今天就给大家先做个示范。”说完马教官打开身后绿色的弹箱，取出一颗手榴弹。看到马教官手里的真手榴弹，晓伟愣住了，大家也都带着复杂的心情看看手榴弹又看看晓伟。

实弹投掷训练可不像射击，射击打不好最多是把耳朵震聋了或者把腮帮子磕肿了，投实弹是一项非常危险的训练科目，各军每年都有事故发生。不是把手榴弹握得太紧，投不出去，把它扔在自己脚下，就是握得太松，手榴弹脱手，丢在身后。有经验的老兵甚至教官在实弹投掷训练的时候也总是提着一颗心。部队在进行实弹投掷的时候，一般不强调投掷距离，而是强调安全。为此实弹投掷时士兵是站在一个堑壕或者双人掩体里，朝山坡下面仍，只要把手榴弹投出去了，它就会自己轱辘到山坡下面，然后爆炸，一般不会伤到投弹的人。同时，那些没有轮到投弹的战士都要躲在战壕里，只有等到爆炸声响过之后才能站起身，走出战壕。实弹投掷实际上是一种对战士的心理测试，就像那天马教官用教练弹吓唬球兵一样，是让他们做好心理准备。但是即便如此，晓伟的心此时也“嗵嗵”直跳，心里明白这东西可不能闹着玩儿，搞不好小命就没了，可是他嘴上不能软，他也从来没服过软，“说试就试，这有什么呀。”说完他就跟着马教官顺着堑壕走进了不远处的双人掩体。

马教官带着晓伟进了双人掩体以后，很长时间没有动静，没人知道晓伟他们那边到底发生了什么事情，于是球兵们就慢慢从堑壕站起身，往马教官和晓伟他们那边张望。突然，就听见不远处“轰”的一声巨响。“当时我觉得脸上猛的一热，接着就听见旁边的马志大叫‘不好啦，小文被炸啦！’他边喊还边往山坡上跑。这时候我就觉得脸上越来越热，然后一下什么都看不见了，心想‘这下完了，我一定是死了或者眼睛被炸瞎了’。”与此同时，马教官正拽着晓伟顺着堑壕快步往回走，两人浑身上下都是土。听见马志的喊声，紧接着又看到满脸是血的小文，马教官立

刻丢下晓伟，一个箭步蹿到小文身边，从腰间掏出一个急救包，把小文的头包了个严实，然后一侧身，猛地就把小文扛在背上，朝着二八六野战医院的方向就跑。那是十好几里地的山路，而且小文也是一米八多的大个子，马教官一口气就把小文连背带扛地送到了二八六。值班医生立刻给小文做了紧急处理，缝合了头部右侧被弹片撕裂的一根小动脉血管。好在没有伤到太阳穴或者颈动脉，小文才算是保住了一条命。

事故发生后，教导队和师领导给二八六医院做了很多工作，希望不要把事故上报军区。但是像这样的军事训练事故谁也不敢隐瞒，双方经过反复商量，最后医院还是做了妥协，同意只把事故上报到六十三军司令部。军部李干事看到报告灵机一动，说这些球兵虽然身穿军装，在教导队训练，不过他们还没有办妥正式入伍手续，所以严格地说他们还不能算是正式入伍的战士，结果这个事故就被悄悄地搁置了下来。

手榴弹的事故刚刚处理好，球兵们就又出了第二件事故，这次更有戏剧性。

师教导队的集中训练是三个月一期。考核结束后这些经过训练的骨干就回到各自的连队，把学到的单兵技术和战术技能传授给其他战士。在他们离开之前教导队通常要给这些战士们安排一次会餐。把平时用泔水养大的肥猪杀了，去临近的村子买些新磨的豆腐，再让军人服务社给采购一些当地的啤酒和白酒。会餐前两天马教官堂而皇之地把他的家属从太原接来原平，和他一起住在教导队的宿舍里。马教官的家属一来，球兵们早上的出操和队列训练自然也就免了，内务也没有人来检查，被子褥子胡乱地卷成一团，差不多就行了。吃过上午饭，球兵们和教导队的学员互相串门聊天，吃花生嗑瓜子，下棋打扑克消磨时间，一心就等着下午这顿会餐了。终于盼到了开饭号，大家赶紧排队，迈着不整齐的步伐朝食堂走，当走过马教官的宿舍时，都不约而同地停住脚步，站在那里指手画脚、议论纷纷。

马教官穿戴好了，正准备带着年轻的爱人去和学员们一起会餐，忽听见门外面乱哄哄的，就开门走了出来。看见战士们衣帽不整地挤在一起，顿时就拉下了脸，大声叫道："怎么啦这是？以为你们马上就要回连队了，我就管不着你们了是不是？我告诉你们，就算明天你们走，我今天照样可以给你们处分！""给你处分"是马教官的口头语，往日还可以吓唬人，今天对这些老兵根本没有用，大家依然站在那里朝他不停地笑。这下马教官心里也毛了，下意识地用手去摸了一下军裤的扣子，这下大家笑得更厉害了。一直站在他身边的爱人，突然脸红了起来，轻轻地拉了一下马教官的手，然后急忙转身进屋了。马教官一扭头才看到他宿舍门上不知什么时候贴了一副对联，红纸黑字。

上联是：一杆半自动直捅到底刺刀见红

下联是：两颗手榴弹近战夜战猛打猛冲

横批：只盼熄灯号

这副对联特意用了非常幼稚的字体，写得歪歪扭扭，显然想掩盖书写人的真实身份。可马教官心里知道这准是球兵们干的，而且跑不出小孟、小文和晓伟这三个坏小子。他心里这个气，“好小子啊，你们居然敢当着这么多人出我媳妇的丑，看我明天怎么整治你们！”他本想叫这三个人出列，但是脱口而出的却是另外一个口令：“立正！目标食堂，正步——走！”

平时连队伙食很差，几乎没有油水，很多时候根本吃不饱，尤其那些四川来的兵，见到粗粮根本就不吃饭，宁肯饿着。等到大米白面就猛抢猛吃，撑死了算。所以那天会餐的时候大家都是放开了肚子，大吃大喝，一顿饭吃了好几个小时。晚上回到营房，球兵们哥几个兴奋得睡不着觉，熄灯号吹了好久还躺在床上神吹海聊。到了半夜又一块儿爬起来去上厕所，结果在回来路上看到一只大白猫。这猫特肥，不知道是谁喊了一声：“抓住它，给丫吃了！”说时迟那时快，几个人乘着酒兴就围了上去。那猫一看这架势就傻了，动也不动趴在墙根底下。梁歌头一个冲上去，照准猫头就是一脚，没想到那猫一低头，梁歌一脚踢在墙上，当时疼得他就坐地上了，抱着右脚吱哇乱叫。那时候谁也顾不上他了，大家齐动手，三下五除二就把那只猫给打死了。拎回了营房，准备第二天吃红烧猫肉。

第二天天还没有大亮就听见门外有人叫骂，说他们的猫被打死了，要跟球兵拼命。原来那是教导队厨房喂养的猫，早上起来找不到了，炊事班的战士就四处搜寻，看到地上的血迹，就顺着找到球兵这儿来了。睡梦中鲁圣听说有人堵上门来要打架，他猛地爬起身，抄起一条板凳就冲了出去，把炊事班的那几个人给赶跑了。可过了没一会儿教导队的学员来了一二十个，有的还拿着木刺和铁锹。球兵这边儿一看这架势，不能让鲁圣一个人吃亏，也就都涌了出去，双方站在那里互相大骂。这已经到了上班的时间，师首长在司令部楼上看得一清二楚，很快警卫连的战士端着枪跑步过来，给这群人来了个团团包围。先把他们手中的家伙都给缴了，然后把他们分成两队，押送回各自的营房，只许进不许出，如临大敌。后来才知道，当时师部大楼里的各位首长非常紧张，以为又出了人命。因为六十三军两年前出过人命案。

教导队打架的双方虽然没有人因为这场群架而受到处分，不过这事正好提供了一个口实，师首长随即来了个顺水推舟，把球兵们一下子全都赶出了师部大院。阎指导员很有经验，没有告诉球兵们这是要把他们下放到生产连，而是说师首长决定送球兵们去高炮营学习高炮射击技术，到了夏天还可以去秦皇岛打飞机拖靶。“听了阎指导员的话大家都信以为真，非常高兴。男孩子嘛，谁不爱舞枪弄炮啊？可是一进高炮营，大伙儿立马就都傻眼了。”靳华说。

原平 谢村 高炮营

一定是吸取了在教导队的教训，球兵们一到高炮营报到，就被“分而治之”，整个排球队被彻底拆散，分到各个班，每个班

只有两个人，与连队战士同吃一锅饭，同睡一个炕，同训练同劳动。高炮营里的战士基本上都是农村兵，尤其以四川来的兵居多。很快这些球兵就知道了川兵的外号——“锤子”。不过他们不敢这样叫，至少不敢当着人家的面叫。四川兵人多势众，球兵们尽管人高马大，也只好该低头处就低头。四川兵喜欢仗势欺人，见到城市兵，特别是北京来的城市兵，总是找他们的茬儿，不管是什么活儿，总是派给球兵们去干。训练完了不让休息，叫球兵们打水扫院子；周日放假半天，别的战士都进城了，偏偏叫他们留下来打扫营区卫生，扫地擦玻璃；晚上站岗班长把早晚班留给自己的老乡，而让球兵们去站中间的那几班岗。中间这几班岗是最难受的，尤其是冬天，刚刚把被窝睡暖了就被叫了起来，哆哆嗦嗦地去上岗，下了岗还没睡一会儿，脚还是凉的，起床号就响了，搞得球兵们每天头晕眼花。

这还不算是最难受的。

驻扎在谢村的高炮营是九师的直属队，其任务原本是保卫九师师部不会遭受敌人的空袭。中苏关系在那个时候已经不再紧张，高炮营就暂时改成了师里的生产连队。顾名思义，生产连队基本上不搞军事训练，大部分时间是种地搞生产，就像当年延安“三五九旅”干的那些活，开荒种地，养猪种菜，改善连队生活。

七十年代全国农业都要“学大寨”。大寨的根本经验，依照村党支部书记陈永贵和妇女突击队长郭凤莲的说法，就是两个字“苦干！”大寨人“三战狼窝掌”，劈山造田，担水上山，硬是在荒山秃岭上种出了高粱，而且亩产超千斤，大大突破了《全国农业生产发展纲要》对黄河以北地区粮食产量的要求，甚至超过了长江地区。问题是六十三军的防区是著名的晋中平原，当地农民祖祖辈辈以种食小麦为主，基本不吃高粱。每年大寨一丰收，各个连队的司务长就犯愁，想方设法把配给的高粱“粗粮细作”，比如把高粱米磨成高粱面，然后压出面条。山西的高粱面人不爱吃，就是勉强吃下去也难以消化。把高粱面拿去喂大牲口，牲口也不吃。磨好的高粱面是白色的，装在笸箩里放在场院上晒，早已饿得不行的公鸡母鸡一看，就从老远的地方飞奔过来，啄了两口，马上吐掉，在上面撅起屁股拉泡屎，用脚埋上，然后扭头而去。

小麦白面好吃，但是产量低，光靠种小麦养活不了这么多的老百姓和部队战士。四川兵有办法，建议种水稻，说水稻是细粮，营养好，水稻的亩产比小麦要高出不少。报告送到军首长那里，一位副军长批示说这是个好建议，结果就在山西北部率先种起了水稻。

可是要把种麦子的旱地改造成种稻子的水田，那工程可就大了。首先地要平，不然稻田一头有水另一头还是旱地。“那么老大的一片田地要把它挖成水平，得需要多少人工？没有大型机械，完全靠铁锹挖、土筐抬，把东头的土挖起来，抬到西头，把南边的弄到北边，一天到晚挖地不止也整不平多大一块。而且干活的稻田离营区二十多里，走到那里就快累死了，就别提还要干活了。”小文话语中带上了哭腔。

耕地被深翻平整以后露出了下面的“生土”，完全没有一点儿肥力，不管种什么也长不出来，需要大量施肥。部队没钱买化肥，只好用圈肥和人粪尿。起圈掏粪这活自然也就又落到了球兵们的身上，说是因为球兵们“个高力不亏，身上有的是力气”。在猪圈里起粪比较容易，平地，天又冷，用铁锹一撬，就是一大块，同在厕所里掏大粪完全不可同日而语。厕所的后面是大粪池，足足有一人多深，要跳下去挖才行。天冷上冻，要用铁镐刨。一镐下去溅得满身满脸都是，搞不好还溅到嘴里。如果赶上天气好，太阳一晒，大粪池里稀汤挂水，臭气熏天，恶心至极。班长邹峰知道这个活不好干，就让大家轮番上阵。要下去的队员先憋好一口气，然后再跳下去掏粪，直到憋不住了，赶快爬上来，连续做几个深呼吸，下一个跳进去再接着掏。

插秧之前地里需要放水，泡上几天，然后再把稻田最后平整一下。原平的春天来得迟，地里的水夜里一冻，第二天水面上都是冰碴子。早上下地，一脚踩下去鞋里灌满了冰水，很快脚就冻得麻木，哪怕是穿上几双袜子，再穿上棉鞋，也丝毫不管用。班长邹峰代表球兵们把这个情况反映给阎指导员，得到的回答很干脆：“你们看看那些师医院和通讯连的女兵，人家来了例假也照样下去干活，何况你们男兵！”没有办法，大家只好忍气吞声接着干，结果没干几天大成就出了状况。

那天轮到梁歌和大成抬土筐，本来一筐土就非常重，再加上冰水，就更是死沉死沉的。他们两个弯腰曲背刚要“一二三，起！”大成一下子就歪倒在水田里，双腿立马就不能动了。大家一看都傻了眼，只有梁歌说这是瘫痪了，需要立刻送医院。他二话没说把大成从地里背上了大路，接着又走了一段路，拦截了一辆过路的军车，才把大成送到医院，诊断结果是“突发性坐骨神经炎”。

“那块稻田离大路挺老远，就算我瘦，不沉，背上走几里也差点儿把梁歌给累死。我这辈子都念他的好。”大成感激不尽地说。

大成瘫在床上不能动，排球也打不了，去南方冬训根本没指望，球兵心中的厌烦、痛苦、绝望和反叛的情绪到达了顶点，每个人都在心里苦苦地思索解脱的办法。一天晚饭后，鲁圣、赵彬和小孟召集大家在村外的小树林里开了一个秘密会议，议题就一个——“脱了军装逃回北京”。

“我们十二个人，开始没叫田地，各怀心思、七嘴八舌地讨论了一个多小时，最后大部分人都同意脱军装回北京。当时在会上把大概的行动日程、谁负责买火车票、谁负责联系卡车都商量妥了，这才派人去叫田地。可是没想到把这个计划跟他一说，田地却讲了另外一番道理。”小孟说。

那天晚上田地觉出来大家好像在商量什么事情，几个人进进出出的，可就是没人叫他。等到最后叫他出去了，鲁圣他们几个已经做了决定，说是要脱了军装逃回北京。听了这个计划，田地立刻就蒙了。别人都可以逃回北京，唯独他不行。“我二哥正在用‘父母身边无子女’的理由办回北京，我突然一回去，那他就全瞎了。可是我又不可能一个人留在部队，怎么着也得找几个

伙伴陪着我啊！”面对着十几个下了决心的队友，田地站在那里低着头，双手不停地按太阳穴。正是所谓急中生智，他忽然有了主意。

田地扬起头大声说：“回去，可以，我跟你们一起走。不过走之前，咱们先得当着大家的面，把事情说清楚。当初我们这十几个人高高兴兴到山西来当兵，怎么没多久就一下子落到了这个地步？这到底是怎么回事？这是谁的责任？谁的责任谁负责，不能让大家平白无故白来一趟，而且还要背一辈子当逃兵的罪名！”田地认为在这件事情上邹峰和鲁圣负有不可推卸的责任。鲁圣本来在体校就有打架斗殴的习惯，只是因为他排球打得好，才在体校留了下来。在部队他和邹峰都是主攻手，场上场下有矛盾。而且他也看不起邹峰，觉得他是从朝阳来的，跟大家不是一路人。所有这些都可以理解，但是绝不能把这些矛盾暴露在军长面前，更不能当着司政后干部和军直机关战士的面大打出手！“你们这么干，不是明明在授人以柄吗？出了这么严重的问题，军长不处理我们能行吗？”接着田地把话锋一转，说邹峰也负有同样的责任。“身为一班之长，在出现问题的时候头脑极不冷静，忘记了自己是个干部，完全把自己混同于一个普通老百姓，这和你班长的身份相符吗？难道你在学校里当干部的时候也是这么处理问题的吗？现在有人要脱军装当逃兵，你非但不加以制止，反而还参与策划，这是你应该干的事吗？”

听了田地的这通质问，鲁圣瞪大了眼睛，死死盯着田地，心想："我说不过你，要不是看在咱俩往日的交情上，你当着大伙儿的面这么数道我，我非得上去抽你丫不可，才不管你是不是队里的老大呢！"邹峰是个明白事理的人，知道他上次打架很不应该，眼下又让田地站在理上，所以自然就没话可说。其他人看到田地在指责鲁圣和邹峰，没提到自己，也就不便插嘴。可是田地没给大家时间思考，紧接着讲了当逃兵之后可能会遇到的麻烦，他说赵彬和鲁圣原本是要去北京青年队的，因为北京队一直没有决定，才来了六十三军。现在再要回去加入北京青年队，人家还会要他们二位吗？看看小文，他原来是要去成都部队，后来一犹豫，没去，结果等他决定又要去了，人家根本就不理他了！现在咱们十三个人都当逃兵，回到学校会不会受到处分？学校还会不会还让我们继续上学？到毕业分配时会不会被"穿小鞋儿"？当逃兵这事还关系到各位队员的家人、教练、老师和同学，大家还是好好想想，要不要再坚持一下？"如果教练来了，开始训练了，咱们就留下来；如果教练不来，还是不能训练，那咱们就一起走。但是即便要走，也要光明正大地走，不能偷偷摸摸地，更不能当逃兵，我们又不是一群贼！"田地最后说。

"听老大这么一说，弟兄们觉得有道理，也就不好再说什么了，只好凑合着再坚持几天吧。"小孟不无遗憾地耸了耸肩膀，"要不然我们肯定会干出一件让整个北京军区不知所措的大事！"

其实真正改变这群球兵命运的既不是小孟他们几个人策划的

集体叛逃回北京，也不是听了田地的意见大家坚持到了最后，而是下面这一道来自六十三军政治部的电令：“为迎接即将到来的军区排球比赛，特此命令：男子排球队全体速来太原军部报到，正式开始排球训练，不得延误。”

第四章

省队来人了

太原

球兵们离开太原去原平进行新兵训练不过是几个月的时间，最多不超过半年，却感觉恍如隔世。那个军部招待所，乃至整个太原南郊，在球兵的眼中已经完全变了样。同原平比起来太原简直就是一座真正的大都市，树大，楼高，热闹，繁华，来来往往的行人似乎都是他们以前熟识的"城里人"，就连街上跑的103路电车现在看起来也颇有现代化的味道。这些光怪陆离的景象让小伙子们的眼睛完全不够用了，脸上也不自觉地流露出内心的欢快与喜悦。坐在大卡车上球兵们不停地说笑、调侃、嘲弄、打闹。这时他们各自的心里只有一个共同愿望 —— 赶快见到盼望已久的教练，马上开始耽搁太久的排球训练。这是他们那年参军的最初目标，也是他们此次回太原的最大愿望。

当指导员第一次把新来的教练带到招待所同大家见面时，教

练在进门的时候下意识地低了一下头。“不然的话他肯定就撞到门框了，”赵彬心里这样想，“然后他直起腰，抬起头，我一看他那张脸，脑子里立刻闪过的一念头：丫的脸怎么这么老长啊？”

张教练原本是山西省队的主攻队员，身高两米开外，那年刚刚过了三十五岁生日，正式步入壮年。他体形消瘦，没有一点发福的迹象，所以看上去更显高大。他往那里一站，总是习惯性地低着头看人，给人一种俯瞰一切的感觉。张教练在农村长大，小时候没上过什么学，不善言辞，尤其不善于在人前讲话。每次在队前训话总是显得很不自信。脸上堆满了笑容，双手不停地搓动，身体的重心也是不停地从左脚换到右脚，然后再换回到左脚，好像在做什么准备活动一样。不过张教练在同队员初次见面时，就把他带队的理念同大家讲得非常明确。第一，他要尽快把这支球队训练成北京军区数一数二的排球队，“只有这样才不会辜负军师领导对我们的期望”；第二，他本人要对这支球队的技术和战术水平的提高负主要责任，“欢迎大家对训练和比赛提出各种建议，但是最后还是我说了算”；第三，为了提高技术和战术水平，没有超强的身体素质是根本不可能的，“因此我们队要坚持大运动量训练，也就是坚持‘三从一大’的训练原则——从难从严从实战出发，再加上大运动量”。这最后一句话张教练说得掷地有声，赵彬听了心里却一阵阵地发冷。

“一听他说‘三从一大’，我立马就傻眼了，这不就是日本教练当年训练中国女排的‘大松博文训练法’吗？”赵彬清楚地记得他们体校有很多教练当年就是因为接受了这种大运动量训练，结果身体受了伤，被迫退役，提前终止了排球生涯。远的不说，体校的常青教练就是个很好的例子。常青教练当年身体条件和技术水平都非常出色，大家一致认为他迟早会进入国家队，就是因为运动量过大，训练不得法，腰部和膝关节受了不可医治的重伤，结果年纪轻轻的就被北京队刷了下来，不得不到体校当教练。

对张教练的训练理念球兵们虽然心里有不同的想法，可是没有一个人敢提出不同意见。当时他们还不知道教练所说的“三从一大”到底有多大的运动量。毕竟他们在体校训练了多年，身体力量训练也不是没有经历过，说不定坚持一下也能过得去。而且，好不容易才盼到从谢村调回太原，总算开始了盼望已久的排球训练，有谁会在这个节骨眼儿上跟教练过不去，自讨没趣呢？“搞不好又被送回高炮营，那可就惨喽。”黄涛说。所以大家抱着一种侥幸的心理，觉得自己会闯过大运动量身体训练这一关。

张教练口才不好，说话不利索，可是干起活来却是一位实干家。听说六十三军目前还没有一块正式的排球场，同队员见面后的第二天他就四处去挑选训练场地，跑了一天下来，在军部附近的五六零团找到了一块空地。然后他从后勤部借来各种工具，挽起袖子，亲自带领这群城里来的球兵们翻地，筛土，掺石灰，拉碾子，没几天的工夫，就在军训操场旁边修好了一片黄土球场，看上去同球兵们在北京体校和学校里打球的场地没有什么区别。没有网架，教练到营区外面砍倒两棵小树，断枝、去皮、挖坑，把它立在球场两边，上面再挂上一张排球网；没有排球，他回

省体工队借来几兜省队淘汰不要的旧排球，就这样六十三军男子排球队终于开始了正规训练。对这段难忘的经历，小孟随性写了一首打油诗：“学大寨，赶昔阳，排球场上种高粱；勤浇水，多施肥，亩产一定过长江。”（注：根据当年《全国粮食生产发展纲要》，黄河以北地区粮食亩产要达到四百斤，长江以北地区粮食亩产要达到五百斤，长江以南地区粮食亩产要达到八百斤。）听到后，教练倒是不以为然，觉得是队员年少、淘气，一笑了之。可是指导员对此却是非常认真地加以对待。他认为这是“不健康的思想苗头”，是“骄娇二气的反应”，“需要在球队肃清资产阶级思想的流毒”。他不仅在队务会上很严肃地把小孟批评了一顿，还发动全体队员，要求人人发言，把小孟一连“批判”了好几天。如果说以前球兵们认为指导员这个人就是个典型的政工干部，要求严格，一丝不苟，内心里对他们还是不错的，那么从这次批判会以后，大家对指导员的态度就是敬而远之，敢怒不敢言了。

其实说教练“脸长”，或者笑他在“排球场上种高粱”，赵彬和小孟看到的仅仅是一些表面现象。张教练利用修建球场和通过最初几天的训练已经对这支球队的基本状况进行了摸底。他现在知道这些队员们的家庭情况、本人的业余爱好，同时也对他们的身体素质和技术水平有了一个初步的了解。在此基础上他悄悄地给李干事写了封信，向他坦率地汇报了自己对这支球队的看法。在信里他说这些队员“身高偏低”，“身体素质不够理想”。虽然具备一些排球的基本技能，部分队员也参加过全国性的比赛，但毕竟还是“中学生的排球水平”，离专业队的要求还相差很远。

因此他向李干事建议，为了尽快扭转这个局面，首先要即刻在太原开始大运动量的身体素质训练。身体素质训练一般都是在冬季进行，但是由于这些队员在过去的冬季完全没有进行身体训练，尤其是力量训练，所以要尽快增强他们的体质，以便为接下来的技术训练打下较好的基础；其次，为保证身体训练，特别是大肌肉群的力量训练，要尽可能地提高球队的伙食标准。据他了解这些队员在刚刚过去的冬季，吃的是普通连队伙食，标准是三毛八分钱一天！这个伙食标准完全无法补充体能的消耗，因此他建议将排球队的伙食标准提高到八毛钱一天，全部细粮，两顿正餐要保证有肉。比赛期间的伙食标准更要达到一元五角一天，保证要有水果；还有，为了达到提高技术和战术水平的目的，同时为了保密，避免把球队的真实水平透露给军区内其他几支竞争球队，请军里尽快安排落实排球队去南方的训练和比赛；最后一条最重要，他特地向李干事强调“要尽快增加新鲜血液”，设法就近从山西省队招收几名优秀的队员，充实并替换目前的主力阵容，否则很难完成军首长交代的比赛任务。张教练在报告中再三强调招收新队员的工作要在暗中进行，以免引起现有队员的情绪波动，“否则出了问题，你我都负不起这个责任”。

通过对球兵们的初步观察，张教练的心里其实还有一个想法，但是他跟谁都没有说，那就是这支球队的平均文化水平很高，大部分是高中的学生，有的还是高中应届毕业生。他们几乎人人都有特殊的爱好，大成喜欢音乐，小文爱好绘画，晓伟钻研书法，田地可以用英语看小说，梁歌甚至还专心研读《资本论》，

不仅如此，他居然还说他将来要当律师。听了梁歌的话，张教练心里非常不以为然，什么律师？中国哪里有法律，干什么事还不都是靠关系？在张教练眼中，法律、律师和法官“能顶什么用”。面对这样一支球队，教练自认为他本人文化水平太低，没办法驾驭这群“小知识分子”。更令他担心的是这些队员根本不会踏实地接受排球训练，一旦时机成熟他们肯定会远走高飞。不得不承认，这一点张教练看得非常准。不过，那是几年以后的事情了。

盼望已久的专业训练终于正式开始了。穿上崭新的运动衣和运动裤，每个队员都真心地想在球场上大显身手，把以前学过的技术、战术好好在教练面前展示一下。“让丫也开开眼，看看我们的短平快、背飞和错位时间差。”鲁圣自信地说。可是教练宣布的训练安排完全出乎大家的预料，训练课一上来几乎全是身体素质训练。不仅如此，他所说的大运动量训练，其实是按照山西省男子排球队的身体训练标准布置的，几天下来，这个运动量就把这群刚刚从谢村种地归来的球兵们累得要死要活，哭爹喊娘。梁歌至今还保留着几本当年的训练日记。在一九七五年六月一日的日记中他记录下了这样一组身体训练数据：

早上野外长跑 一小时

早餐

上午：技术训练 三个小时

午饭后午睡一小时

下午：力量训练：

杠铃推举：五十公斤，五次一组，五组

杠铃提拉：九十公斤，十次一组，五组

杠铃全蹲：九十公斤，七次一组，五组

一百公斤，五次一组，三组

一百一十公斤，三次一组，一组

杠铃半蹲：一百三十公斤，五次一组，五组

一百五十公斤，三次一组，三组

一百八十公斤，一次一组，一组

仰卧起坐（怀抱二十公斤的杠铃片）：十个一组，十组

晚饭

晚上：身体柔韧性训练，静蹲，慢跑，俯卧撑等

这种训练方法谁都难以承受。小文说他当时在学校特别想参军，可是从北京到太原，从太原到原平，然后就是教导队、高炮营、翻稻田，一路大下坡，心情黑暗得不得了。反而倒是教练的到来让他又重新有了点儿希望。“但是教练那个身体训练真是累。他把大家当成省级专业队的来训练，一开始真是承受不了。早上，上午，下午和晚上，一天四次训练中有三次都是练身体和力量，只有一次是技术训练。每天累得路也走不动，饭也不想吃，就想躺在床上睡觉，把腿翘得高高地睡。”

马志最怕身体训练，尤其怕长跑。一到长跑时他就偷懒，不

想跑，找各种各样的借口。有一次跑一千五百米，马志说他头晕，磨磨蹭蹭地不好好跑，结果让张教练给狠狠地罚了一下，让他连着跑了两个一千五百米，他都没达标，但是教练坚持不下早操，跑不下来就不让他吃早饭，全体队员也都要陪着。最后没有办法，马志只好再跑。结果跑完第三个一千五百米，他反倒是达标了。

“这个傻帽。”赵彬笑着说，“丫老找借口说他头晕，一练身体他就头晕，一头晕他就去洗头，一头晕就去洗头，老洗头，结果把头发都给洗黄了，快成黄毛丫头了，后悔得不得了。”

“你们丫别老拿我洗头开心了，我就是头晕嘛。我有医生证明，你别忘了。”

“谁知道你丫那个证明是怎么从医院搞来的，肯定又是求那个田春苗帮的忙。”书第不依不饶地说。

太原的夏天特别热，是干热。在太阳底下晒一会儿头就发蒙，想喝水。不过太原工厂多，几乎都是重工业，水质非常不好，生水很不干净。训练中间一休息，队员热得不行，抱着水管子猛喝一气，结果很多队员都得了痢疾，拉一圈下来，前几个礼拜的训练就算白干了。

“痢疾传播得可太快太广了，几天的时间队员们就接二连三地倒下了，拉得没完没了。开始还有大便，后来就是水了，再后来连水也拉不出来了，再拉就是肠子了，每天捂着肚子，腰都直不起来。”小孟捂着肚子比画着。

“开始教练和指导员还不相信这是真的，老说我们娇气，是在泡病号，还说我们是想吃病号饭才说是拉肚子。后来他们觉得不对劲儿了，队员们没精打采，面黄肌瘦，就跟得了黄疸病似的。我妈听说了，就写信告诉我说，那是急性痢疾。这病可厉害了，重了会造成脱水，甚至会死人。”

“晓伟他妈说得对。后来军里也注意到了这个病情，好像是军区发了疫情通报。不过全队就我和小文没有拉。小文不仅没有拉，而且他还一个劲儿地拼命吃，说是这样可以把痢疾病菌给撑死！”

“痢疾病菌是不是被撑死了我也不知道，反正是把邹峰和我撑得够呛。你想啊，那么多份病号饭，全都让我们俩人给吃了。”

“哪儿啊，不止咱们俩，还有教练呢，你别忘了。他一个人就得吃三五份。”邹峰咧着嘴开心地大笑，“就是因为出了这个紧急状况，还有就是下一年的北京军区排球比赛和以后的军区运动会，军领导只好决定提前去福建训练，要不然我们可能就有人拉死在太原了。”说完，周枫收起了脸上的笑容。

北京

京原铁路蜿蜒于太行山区，跨河穿山，桥梁多，隧道长，是山西中北部通往北京的一条交通干线，按照今天的说法那是晋煤外运的中路通道。不过在七十年代这可是一条重要的战备铁路，它是党中央战略转移的通道之一。经三家店和衙门口，京原条路又与北京地铁一号线、西郊机场、南苑机场相通。为安全防护需

要，京原铁路沿线通过隧道穿山行进，其中最长的驿马岭隧道，全长七公里，是七十年代中国最长的铁路隧道。它跨越多条地下河，修建难度不亚于成昆铁路，修建时铁道兵部队伤亡惨重。为缅怀先烈们在京原铁路修筑上的非凡业绩，原平市人民政府将市里的主干道命名为京原路，北京市石景山区也设有京原路和京原街。

球兵们去福建训练由书弟打前站。他事先赶回北京为大家购买去福建的火车票，并且让他父亲从铁道部要了一辆大轿车，先去永定门火车站接车，然后把球兵们转运到北京火车站，乘当天下午一点四十五分的四十五次直快去福州。尽管书弟的父亲是“老铁路”，可是去福州的火车票当时异常紧张，老吴想尽办法还是没能买到十几张车票，只好通过他在北京站里的关系，设法让球兵们先上火车，然后再联系列车长补票。车长倒是很在行，对当兵的也很热情，特意给这些球兵们安排在车厢的一头，算是个相对独立的区域，不那么拥挤混乱。去福州要坐四十七个小时的火车，这么长的时间，不管是谁，一口气坐下来也够呛。每当到了晚上队里好几个队员就都纷纷钻到硬座位子下面去休息。“别看那个地方只有几十厘米高，而且空气不流通，再赶上个臭脚，那味道就别提了，”书弟自嘲地说，“可是总算能躺平了，而且还能把腰腿伸直睡一觉，这就算是个不小的福利了。”

“我就睡过那硬座下面，”邹峰立刻附和道，“那个火车座位太低，侧着睡，肩膀就顶住了，只能平躺着。一开始还觉得不舒服，后来就完全顾不上了，一觉就是大天亮！”

梁歌妈妈听说儿子去福建训练要路过北京，便早早地赶到北京火车站，翘首以待。自从梁歌当兵走了以后，每次写信来都说山西那里伙食不好，每天不是玉米面的窝窝头，就是高粱米饭，那东西吃多了拉不出大便。来信还说山西不仅没有肉吃，而且连青菜也没有几样，几乎顿顿都是土豆萝卜和白菜。所谓变换花样，就是把这几样菜切成丝、切成片或者剁成块儿。有时候把他们这群大小伙子饿急了，就去偷老乡家的鸡，杀了去毛、开膛破肚，然后放在烧开水的壶里煮，半生不熟的就吃了。这次梁歌妈趁着梁歌路过北京的时候就给他送了十三个煮鸡蛋。那时候他家里只有他妈妈一个人住在北京，政府每个月给她供应一斤鸡蛋，大一点儿的有十个，小的一斤也就再多那么二三个。梁歌妈知道梁歌他们一块儿去当兵的共有十三个人，所以就煮了十三个鸡蛋，心想就算平均分给每个人，那梁歌也至少能吃上一个。谁想到从妈妈手里接过鸡蛋后，梁歌一头钻进车厢的厕所，把门反锁了，一下子把十三个鸡蛋全给吃了。火车还没有过黄河就开始拉肚子，几乎拉了一路。不得已，梁歌只好说了实情，结果挨了教练和指导员狠狠的一顿批评。“唉，这小子一定是饿坏了啊。”说完，梁歌妈流下了心疼的眼泪。

人都到了北京，却不让回家，说是为了要集中精力训练，回来的时候再安排探亲。对此大家都想不通，怨气不小。指导员不知道是从哪里得到的消息，说小文要借着转车的机会偷着跑回家看父母。在北京站换车的时候，指导员一看小文不见了，就认定他偷着跑回家了。急急忙忙出站追，一直追到小文家里。到他家一看根本没有这回事，就又掉头赶紧往回跑，结果还是耽误了当天的火车，只好再托老吴，改乘第二天的火车。

“其实我一直都在火车上，哪儿也没有去。就是想偷着回家，我也没有这个胆量啊。你想想，指导员那么严厉，谁惹得起他？嘿，没想到结果还是害得指导员比大家晚到了一天。”小文幸灾乐祸地说。

莆田

福建是球兵们到过的第一个长江以南的地方。这群在黄河以北长大的孩子看到江南的景色，什么东西都觉得非常新鲜。在山西北部待了整整一个冬天，树上没有一片叶子，地上没有一棵青草，举目望去到处都是光秃秃的黄土高原和被肆虐的狂风卷起的阵阵沙尘。当他们在火车上一觉醒来，睁开惺忪的眼睛，满目竟然都是无尽的翠绿。江南的青山、绿树、河网、农田以及沿途的房子同他们熟悉的华北农村完全不同。大家的心情顿时好了很多，说笑起来没完没了，在座位底下睡了一夜的那个窝囊劲儿也被一扫而光。

到了福州，休息一天，就乘车去了莆田。

七十年代的莆田和漳州地区是全国有名的走私基地。电子表、牛仔裤、蛤蟆镜、折叠伞、电动刮胡刀，数不胜数。走私成本低，来钱快，当地男人根本不屑于干农活儿。不管什么时候看到他们，大都是蹲在田间地头抽烟，要不就是在小饭馆里喝茶打牌。反而是妇女下地劳动，有的还背着孩子。据说劳累了一天她们回到家里还要给老公烧水做饭洗衣服。一九七五年冬天，球兵们去冬训的时候福建还下了一两场难得一见的小雪，那些妇女在稻田里干活，居然连鞋也不穿，不知道是因为穷得没鞋穿，还是怕把她们的鞋弄湿了。看到这一幕让插过秧的球兵们惊叹不已，百思不得其解。

球兵们在莆田由驻扎在当地的二十九军负责接待。由于前几年苏军大兵压境，北方军情紧急，福建前线的主力部队大都调到华北去了。二十九军只剩了个空架子，偌大的军营很少见到军人，只有留守的一些哨兵和民工，军营各处显得空荡荡的，没有生机。

球兵们被安排住在一栋很大的用花岗岩盖的楼房里，每人一张单人床，而且还有崭新的棉被和褥子，这让小伙子们心满意足，就想美美地大睡三天，解除旅途的疲劳。可是没想到，头一天晚上刚睡到半夜，就听晓伟大喊一声："耗子！我 X，大耗子！"他这一喊，把球兵们全都惊醒起来，跳下床，在屋子里四处奔跑，堵截耗子。福建的耗子非同一般，个子特大，足足有两尺来长，被追急了，掉过头来，趴在地上，睁着眼睛，死死盯着这群大喊大叫的北京人。看到大耗子如此临危不惧，这些城里长大的孩子心里开始发毛，站在一起不知如何下手。还是晓伟脑子快，一下子跳到床上，大声说："我看还是算了吧，说不定这是耗子精。真把它逼急了，咬咱们一口，搞不好我们都得染上鼠

疫。”听晓伟这么一说，大家纷纷蹿回床上，蒙住头，接着大睡起来。

第二天一大早天还没有亮，球兵们就被喊了起来，在朦胧的夜色里，借着月光去出早操。教练一如既往地继续他的大运动量训练方法。看那个架势，是非要在这个冬天把这群孩子锻炼成身强力壮的成年运动员不可。

福建多山，房前屋后，随便走到哪里都有山。教练就让队员们往山上跑，深一脚浅一脚，没完没了地跑。担心训练量不够大，教练独出心裁，让队员背着人往山上跑！那天早上轮到邹峰背梁歌，“这个大胖子死沉死沉的，在背上还不老实，东摇西晃，差点儿没把我们两个都摔到山下去，想起来就后怕”。

没有身体训练器材，就用“静蹲”和“人蹲人”的办法；没有杠铃，教练居然设法让盖房子的民工用花岗岩石打造了一副石头杠铃。没人知道那副杠铃到底有多重，反正是需要两个人才能把它抬得起来。后来听说此事传到太原军部，张教练还受到了军长的表扬，说是“发扬了我军艰苦奋斗、能打胜仗的优良传统”。

除了每周七天的严格训练之外，二十九军为了尽到地主之谊，也抽时间安排这些初来乍到的北方兵到厦门前线参观。沿着战壕进入观察哨所，福建前线面对的那些台湾岛屿，大金门、小金门、大担、二担诸岛就在眼前，近到不用望远镜就可以看清对面岛上的公路和跑着的汽车。对面海滩上竖立着巨大的标语牌，上面用红色宋楷大字写着“反攻大陆”和“欢迎投诚”等反动标语。那是田地第一次面对面地看到“敌人”，心里还真有点儿紧张。而且直到那天他才搞明白“原来国民党的旗帜，不光是青天白日，其实还有个满地红呢”，田地感叹地说。后来路过北京，田地把它当作一条特大新闻告诉了爸爸，没想到老人把他好好地教训了一下。

“你怎么这么不懂历史？连这些基本的常识都不知道。我看你再不认真读书，将来一定要犯大错误。”

不过说来也是巧了，从部队复员后，田地考上大学，学习的正是历史专业。当然这是后话。

运动员的生活是单调的，尤其是在没有比赛、整天训练的日子里就更感到无聊。这些球兵求知的欲望本来就很强烈，一天到晚不停地训练让他们觉得生活乏味，头脑空虚。在这种精神和心理状态下，晚上偷听“敌台”，便成了他们一天当中最好的消遣。

台湾与大陆真可谓是“一衣带水”。水性好的可以泅水，或者抱着一块木头，借着涨潮退潮漂过海峡。几十年来国共两党不共戴天，炮虽然不打了，双方还是投入大量人力物力昼夜不停地向海峡对岸进行政治宣传，同时对敌人的广播进行二十四小时不间断地无线电干扰。大成带来的收音机功率不大，但是有个耳机插孔，插上耳机同屋子的人也不知道他到底在收听什么节目。有天晚上熄灯后他又躺在床上听耳机，睡在他旁边的晓伟也想听。大成想了想就说“那你拿走吧”。可没想到，借着那点儿月光，晓伟误以为大成的眼睛是耳机，伸手就抓，“差点儿一下把我的

眼珠子抠出来”。

邹峰家是外交部的，有的是从国外带回来的好东西。他带的收音机是索尼牌，不仅有中波和调频，光是短波就又细分了四五个波段，加上敏感的微调旋钮，收听效果比大成的那个不知道要好多少倍。熄灯过后，收音机传出来一声“亲爱的共军弟兄们”，即刻引来一阵会意的笑声。

“大点儿声嘿，我们这边儿听不见啊。”

“嘘，别吵！”

“声音再大，都给你们丫的送军事法庭。”

“今儿晚上怎么没有邓丽君啊？好好调调啊。”

“你丫别急啊，正在找呢！”

七十年代后期很多人都有第一次听到邓丽君歌声的记忆，那优美的旋律、轻柔的声调、浪漫的歌词就像磁石一样把年轻人的心紧紧地吸附在收音机前。这群来福建冬训的球兵也不能例外。邹峰的收音机短波收听效果极好，音质特别清晰，就连邓丽君呼吸换气的声音都可以听得清清楚楚。“当时还没有人知道邓丽君用的这是什么唱法，直到后来大陆的歌手也开始模仿着唱起来了，才知道这叫‘气裹声’。大成的那种唱法是美声，意大利人发明的。咱们中国人唱的都是民歌，各个都跟郭兰英一样，声音尖得就像在唱戏。可是这个邓丽君，真他妈绝了，发明了气裹声，只要她一张嘴，我的腿立刻就软了，第二天训练都起不来床。”晓伟自嘲地说。

杭州

在福建的冬训结束后，指导员履行了他的诺言，让球兵们利用在北京转车的机会“回家看看”，但是只准回家住一个晚上，第二天就集体乘京原线回太原。球兵们心里当然很不乐意，但是也说不出什么来。连队战士当兵三年根本就没有假期，三年后大多数战士复员回家务农，自然也就没有了探亲一说。只有少数战士提了干，才有回家探亲的机会。指导员还特意安排了球兵们在从福州回北京的路上分别在杭州和上海各停留了一两天。这个安排对这些在北京长大的孩子来说简直是天大的喜讯，时至今日他们还保留着在杭州西湖和上海南京路拍摄的黑白照片。

在中学上地理课的时候他们就听老师说过杭州的西湖，语文老师也讲过苏堤和白堤的故事，这次有机会亲眼看到西湖，亲口品尝著名的西湖藕粉，顿时觉得眼界大开。西湖同北京的昆明湖比起来，可是大得太多，气势也同颐和园那种皇家派头完全不同，青山绿水，婀娜多姿，仪态万方，风光格外秀丽多彩。球兵们特意跑去观赏那个闻名遐迩的大肚子弥勒佛，梁歌和大成不管不顾地爬上去和它合影，赵彬站在旁边一个劲儿地揪大佛的耳垂。在灵隐寺里，那副著名的对联——“大肚能容容天下难容之事，开口常笑笑世间可笑之人”，可是让黄涛花费了不少脑筋，搞了半天才搞清楚正确的标点和断句。

上海

到上海的外地人第一是看高楼，第二是买东西。第一次看到外滩和南京路上那些高楼大厦，球兵们的感觉就像到了国外。当年他们当中虽然还没有一个人有过出国的经历，但是从电影和电视里总是了解一些海外的情况。尽管如此，亲眼所见、身临其境，感觉还是非常不一样。“站在那些高楼下面，觉得自己忒他妈渺小，尤其是看到那些从和平饭店走出来的洋人，觉得自己这身军装好土气哦。”靳华叹息道。

真正让这些球兵感到自己土气的是在南京路的“一百”。田地想买个铅笔盒，就是那种塑料的、盖子上有吸铁石的那种。当时那是抢手货，人人看了都觉得新奇。可是他们几个当兵的站在柜台旁边好半天，售货员就是不理不睬，不管怎么招呼，她也不过来。后来终于知道田地要什么了，她走到柜台另一头，从里面拿出一个铅笔盒，并不走过来递给他，而是把铅笔盒从柜台那一头用手一推，让它顺着玻璃台面滑到这边！“真他妈的欺负人，欺负外地人，欺负当兵的。”这是田地对上海人的第一印象，这辈子也不会忘记。

在上海有一件事让小文觉得很开眼。外滩一到晚上到处都是谈恋爱的人。长椅上，树丛里，一对对的抱在一起，随处可见。“有的时候一根电线杆子两边各有一对情人，紧紧地拥抱在一起，各自紧着忙乎自己的事情，也不怕隔壁那一对听见自己这边儿说的甜言蜜语，这可真是绝活儿。”

球兵们是夜里到的上海，住在一个不知名的招待所里，睡上下铺。邹峰早上醒来一看他的下铺怎么竟然睡个女的？轮到晓伟的时候招待所已经没有多余的床铺了，他被安排睡双人沙发。早上一睁眼，沙发那半边躺着的是个老太太！黄涛半夜起来要上厕所，可是那个招待所没有抽水马桶，每层走廊拐角处有一个木桶，黑乎乎的，上面落满了苍蝇。木桶不大，黄涛一泡尿就快满了。梁歌说："难怪我刚尿一半儿就流出来了，还得憋着，赶紧跑到楼上再找一个，接着尿。"

太原

球兵一行人乐呵呵地回到太原，前来欢迎他们的自然是先他们回部队的张教练。不过这次教练身后还跟着两个陌生人。他们个子都不矮，穿着崭新的军装，还是四个兜的干部服。教练对他们两人的介绍很简单，一位叫宣明，山西省排球队的主力二传手；另一位是省男排的主力副攻，老郝。教练还说这是为了更好地迎接北京军区排球比赛，所以军领导决定从山西省队特招此二人入队。最后教练也没有忘记笑着加上一句，"他们入队以后，就和你们一起打第一主力阵容"。

事先没有一点征兆，更没有透露一点风声，因此也就完全没有任何心理准备，大家站在那里不知道此时此刻应该对这两位不速之客说点什么，结果相互点点头，算是打了招呼，就上车了。在回军部的路上，球兵们没一个人说话，只听到教练在那里和

这两位新队员东拉西扯，唠家常。从他们的谈话中听得出来，他们三人之间很熟悉，一起打过比赛，有很多共同的熟人，关系也都不错。球兵们嘴上虽然什么都没说，可是各自心里却打起了小算盘。

鲁圣觉得无所谓。“管丫什么队的呢，爱主力不主力，跟我没一点儿关系。”鲁圣、邹峰、黄涛和大成是打主攻位置的，这两个新来的，一个是二传，另一个是副攻，跟他们根本挨不着边儿，“爱谁谁！”

梁歌觉得情况有点儿不妙。他是副攻，队里已经有了小孟、晓伟和小文，现在又来了一个副攻，那肯定就得有三个人打替补。目前看样子还不至于有什么问题，不过就算真让他打替补，那也就只好替补了，正好可以利用这个机会多读一些书。“不过万一真成了‘板凳队员’，那入党估计在部队就没戏了吧？”

上车后靳华和书第挨着坐，两个人交换了一下眼色，就完全明白了各自心里的盘算。他们俩在队里本来就是替补二传队员，现在从省队又招来一个二传，那就还是替补呗。“不过这下赵彬可就惨喽，他在福建的冬训算是白练了。”

一听教练说新来的这俩人中有一个是二传，而且曾经是省队的主力，赵彬马上就意识到自己是没戏了。田地是场上队长，肯定不会被替补下去，那剩下的一定就是他当替补了。“真他妈的倒霉，当初还不如留在北京呢，说不定这会儿也去了北京青年队，或者其他什么军区队了，结果来了这个破六十三军，把什么都耽误了。”赵彬阴沉着脸，一直望着窗外。

其实，为了迎接夏天在保定三十八军驻地举办的北京军区排球赛，军区内各个军兵种都在招兵买马，尤以三十八军为甚。他们在军区比赛前就已经换了两拨队员，目前场上的主力是清一色的专业队，有国家队、北京队和天津队的，还有从上海队找来的队员。他们的目的很明确，三十八军是陆军中的“万岁军”，在体育上也不能差，一定要确保军区比赛的第一名。该队当时的水平据说已达到全国甲级队的水准。“真是很佩服他们那位王教练，能把国内那么多一流队员弄到三十八军去。这在我们六十三军完全无法想象。要招新人，当然要招几个像样点儿的。把他们招来干吗，也去种地吗？”小孟私下里愤愤地说。

宣明说他和老郝刚进队的时候根本不知道、也完全没有感到那些北京兵的抵触心理。“就说北京来的赵彬吧，说老实话，我很喜欢他。他打二传的条件非常好，左撇子、弹跳力强。如果按我的想法，我们球队完全可以打‘一五配备’。我主打二传，赵彬可以打接应二传兼个副攻。可是不行啊，田地是二传兼场上队长，他还是球队的副班长。他的年龄比较大，人也比其他队员成熟得多，所以只好委屈了赵彬。”

宣明和老郝来当兵的原因很简单。当时山西省队已经决定把他们两人替换掉了，可是他们自己觉得还年轻，还仍然喜欢打球，干别的也没有什么兴趣。所以当张教练私下里试探地询问他们想不想来六十三军，宣明马上就同意了。“再不走省体工队就要处理我了，让我到基层体校去上班。如果不服从，那就会被开除。”在这种情况下宣明别无选择，他当然更希望去部队，何况

六十三军又是驻扎在太原，离家不远，这时候加入六十三军对宣明来说完全是一种“自我保护”。

据老郝说省体工队要处理宣明的原因有两个，一是他对“文革”不满，经常在队里发表一些反对“文革”的言论；二是因为他违反体工队不许谈恋爱的规定，追求省女排的一名主力队员。

一听说是因为追求山西省女排的主力队员，北京来的这帮球兵顿时来了兴趣，四下打听宣明追求的是不是那位高大美丽的周晓兰。他们对周晓兰不陌生，不久前曾经和山西女排打过一场教学比赛，在热身的时候马志一记重扣，结结实实地打在了周晓兰的脸上。他连忙跑过去向她道歉，结果周晓兰反倒说是她不好，是“自己撞上去的”。

老郝和宣明当时不在比赛现场，不了解这个情况，但是对北京兵的猜测宣明当即摇头否认，而且还补充说，那时候张教练本想安排他们这帮北京来的和省男排打教学比赛，人家省男排根本不理会，最后只好和省女排打了一场。不过当年在省队，人人都知道宣明被女方拒绝的事情，他自己觉得非常没有面子，再加上那些反“文革”的言论，队里是一定要把他处理掉。“如果不是家父找到山西的一位副省长，我肯定就被省队直接开除了。”宣明庆幸地说。

“宣明和我一入队就享受排级待遇，穿四个兜的干部服，而且我们每个月的工资是五十二元，比他们北京兵每月六七块钱的津贴还是要高不少啊。”老郝洋洋得意地说，“这下可把他们几个北京来的气得不得了，说都是一个队的，凭什么他们就是干部待遇？！可是他们也不想想，老子当时在体工队已经工作十来年了，他们是什么？刚刚才从学校毕业嘛。”

第二天上午进行第一次集体合练。张教练首先安排了对北京球兵进行“冬训结束身体测试”。原本他打算借此机会，向老郝和宣明证明他对这些队员身体素质差的看法，可是宣明立刻看出这些北京兵的“身体素质太厉害了”。大多数队员杠铃全蹲可以达到一百三十公斤，吴书第别看他个子小，全蹲达到一百五十公斤，一米八不到的个子也能抓篮圈！“这完全不是张教练跟我和老郝说的那样。”给老郝留下深刻印象的是北京来的队员技术和战术水平都相当高。“他们打起球来变化多，场上经验也比较丰富，特别是那几个参加过北京中学生集训队的人，在场上显得很老到，很有章法，哪里像张教练说得那样差！”

教练看出来老郝和宣明对北京兵的身体素质和技术、战术水平跟他的看法完全不同，但是他不肯善罢甘休，借口说“为了进一步检验冬训成果，考察球队新老队员的配合是否默契”，决定同山西省男排打一场教学比赛，其实他是想用这次比赛再次证明他对北京球兵的看法正确。

山西省队仍然是看不起这支业余球队，更何况又是一支新成立的“杂牌军”。他们提出由他们省男排的二队出面，打一场公开赛，比赛地点选在离六十三军军部不远的山西大学体育馆。这个提议的目的很明显，就是想借机在广大师生面前把六十三军男排好好羞辱一番。可是出乎意料，这支刚刚成立的“杂牌军”居然以三比零的比分轻松获胜，而且第三局打了山西男排二队十五

比零！“这下舆论哗然，于是就引出了山西省男排一队主动约我们打比赛的事情。”宣明高兴地说。

同山西省队的这场比赛是个转折点。

在此之前北京来的队员对宣明和老郝或多或少还是心存戒心，觉得他们是张教练找来的队员，又都是山西人，跟北京兵不是一个路子，用当年的流行话来说他们是“掺沙子”来的。大家一起训练，一起吃饭，一起睡觉，有好烟也分着抽，相处得和和气气。但这都是表面现象，内心里完全是另外一个想法：猜疑，掂量，摸底，试探。要想改变双方的这种心理，其实只有一个办法，那就是打比赛，同山西省队打比赛。只有这样才能看出这两位前山西省队的主力队员心里到底是怎么想的，他们到底站在哪一边，为谁出力，敢不敢向从前的队友下手，下狠手。

宣明和老郝倒是没有北京兵想得那么多。对他们二位来说，这次比赛是一次千载难逢的机会，是一次报仇雪耻的机会。你们省队不是不要我们了吗？不是要处理我们，甚至是要开除我们吗？好！那我们就打给你们看看，看看到底是谁的水平高，到底是谁把谁给“处理”掉！在赛前的准备会上宣明和老郝给北京的队员们详细地分析了省队每一个队员的技术和战术特点，以及他们的心理特征，甚至对可能上场的主力阵容和替补队员名单都做出了预判。根据这个情况，六十三军男排也相应地排出了自己的主力阵容。“我和小孟打副攻，田地和宣明是二传，邹峰和鲁圣在主攻位置，”老郝说，“这个应该就是当时我们最好的阵容安排，剩下的就是赛场上见了。”

如果说和山西省二队打比赛赢得很轻松，那是因为他们基本上都是新手，还不太会打球，那么和省一队打比赛就完全不同了。山西省男排在历史上曾经打过全国甲级队，场上队员人高马大，比赛经验丰富，平均年龄也比六十三军队员大不少。他们体力好，力量足，那球扣到地板上咚咚直响，声音大得吓人。那天的比赛进行得紧张、激烈，两队互不相让，比赛时常进入胶着状态。这样的比赛自然也让观众看得热血沸腾，拼命加油叫好，声嘶力竭。

打到决胜局，一记险球彻底征服了田地。当时老郝和宣明在前排，田地在宣明身后的一号位防守。对方二传突然一个平拉开，他们四号位的主攻冲上来准备打直线重扣。那个主攻手本来就特高，足有两米多，加上弹跳力好，跳起来整个头都在网子上面。田地在下面往上看，那个主攻手龇牙咧嘴、张牙舞爪的样子是一定要把这个球打爆了不可！当时田地心想这下完了，非得被他打个半死。

田地亲眼见过运动员几乎被球扣死的场面。当年在体校他有机会去首都体育馆给国家队当“球屁”，就是坐在场边负责捡球，擦地板，乘机近距离观看高水平的国际比赛，顺便还可以白喝“北冰洋”汽水。有一次是国家男排和南斯拉夫国家队比赛，对方四号位主攻冲上来一记直线重扣，那球正好击中正在一号位防守的袁伟民的胸口上。“当时就把袁指导打背过气去了，躺在那里半天都起不来，最后还是被医生抬下场的。你想想这球要是打在我身上，那还不一命呜呼？”田地心有余悸地说。

可就在这紧急关头，老郝从中间三号位三步并两步移动过来，同时宣明在二号位卡好位置，然后他们两人一起深蹲，紧接一个旱地拔葱，“噌”的一下腾空而起。田地从下面看他们俩人的头也在网上了，四只手排列整齐，构成一堵人墙，“咣当”一下把对方的大力进攻彻底拦死。当时田地别提多高兴了，在场上又叫又跳，简直就像死里逃生了一样高兴。“不光是因为老郝，宣明他们封网成功，拦死了那个重扣，而且因为他们救了我一条小命啊！”说完田地的眼睛里流露出不可思议的神情。

同山西省男排一队的那场比赛打满了五局，最后是六十三军以三比二的比分险胜。“此事在山西省体委造成的影响非常大！王谦当时是山西省委书记也是革委会主任，听到汇报后大怒，下令整个省体工大队停止训练三天，全面整顿！”说这话的时候老郝很有一种自豪感。老郝还说自从那次赢了球之后，他和宣明受到体育圈里很多人的指责，压力特别大。“人们说什么的都有，‘太不够意思啦’，‘不够朋友啊’，还有比这更难听的。但是竞技比赛就是比赛输赢嘛，胜者王败者寇！谁让他们没有咱这个水平的呢。”

“从那次比赛之后，我们两拨人就成一家了。”鲁圣说，“你想想啊，能和外人一起把自己的东家打败，那可是需要勇气的，特别是搞集体项目的运动员，大家都是一个队的，每天在一起流汗，就像亲兄弟一样。好，现在你们丫跑对方去了，而且还玩命把这帮过去的哥们儿给打败了，那还得了？你们在这个圈子里还想不想混了？”

同山西省队的这场比赛是这支年轻球队走向成熟的标志。从此以后这支由北京体校队员和宣明、老郝两位山西省队主力队员组成的排球队获得了一种从未有过的凝聚力。他们变得可以相互信任、相互理解、相互帮助。他们可以和对方交心而不用担心被对方误解，他们甚至可以把自己的排球前程托付给对方而不用担心会被“闪人”，而一脚踏空。从此以后队内队外、场上场下，他们团结得有如一个人一样，悄悄递送一个眉眼，对方就立刻能理解其中的心思，这种理解、这种信任和相互的友谊多年不变，一直保持至今。

此次比赛的胜利也基本上解决了队员同教练之间的矛盾，它让北京来的队员们亲身感受到了大运动量身体素质训练对取得比赛胜利的重要性，他们确信只有具备了专业运动员那样优秀的身体素质才能在强手如林的排球竞技比赛中占有一席之地。

这次比赛的意外胜利把张教练放到了一个十分尴尬的境地。山西省队是他的“娘家”，是他从小到大唯一工作过的地方，当初他提出打场教学比赛不过是想给自己这支新成立的球队一个“学习”的机会，同时也想借机给“这群北京娃子”一点颜色看看。可是他没有想到这些北京娃子和省队的宣明、老郝会配合得这么出色，打得这样勇猛，拼得这么顽强，竟然毫不留情地把省队打到“停训整顿”的地步，这让他今后如何再踏入省体工队的大门？让他如何面对曾经的队友和过去的省队领导？万一今后他有求于省队，那他该怎么办？不过这场比赛也让张教练得到了意外的收获。这次比赛的胜利毫无疑问确立了男子排球队在六十三

军首长心中的地位。部队上上下下对张教练都刮目相看，认为他是个了不起的人才，让他这位刚刚入伍不久的教练员有了明星般的光彩。

这场比赛的胜利让军长本人尤其感到痛快。他兴致勃勃地对李干事说，咱们的部队从来都是打到哪里，胜利的旗帜就插到哪里。六十三军从河北奉调入晋多年，这次我们终于把体育胜利的旗帜插到了他们省政府的大楼上！“要好好表扬一下排球队的那些小伙子们，他们打得猛，打得好！”

“战胜山西省男排，军领导非常高兴，说这是咱们这支球队的首战告捷，要再接再厉！还特意给咱们排球队记集体二等功，每个人都受到军级嘉奖，存入档案。”

“真有这事吗？我怎么不知道啊？我只是知道我们有过团级嘉奖，好像还不是因为这次比赛。”邹峰对宣明的说法表示怀疑。

“我档案里可连团嘉奖都没有啊？”

“晓伟，你是个替补队员，凭什么要嘉奖你啊？”小文没忘了提醒他。

“肯定宣布过。后面没了结果，是不是又出了什么状况？我在运城法院工作时曾赶上九十年代涨工资，我们人事处还跟我说，我有个球队二等功，还是军一级的。但不是个人立功，是集体二等功，个人的不够条件。难道真是我记错了？”

“集体二等功？根本不可能！宣明你肯定记错了。与山西省队的比赛根本就不是正式比赛，属于教学比赛或节假日的表演赛。三十八军后来打了北京军区第一名才给了一个集体三等功，他们队的陈健民有一个个人三等功，我亲眼见过他的立功奖状。”小孟急得说话都有点儿结巴。

“啊呀，你们都别再争了，管它是几等功呢，反正咱们赢了球也还是照样领那八块钱的津贴，穿两个兜的军装，更没有给咱们改成干部待遇啊。”马志的抱怨没有错。取得了那场颇具历史意义排球比赛的胜利，男排的大头兵待遇并没有任何改变。不过，自那次战胜山西省男排过后不久，六十三军领导就下决心正式成立“军体工大队”，包括足篮排三大球加上乒乓球和游泳，田径比赛中的各个项目也都包括在内，而且各个比赛项目都要求成立相应的女队。“这下可好，没想到成立了女队反倒把咱们田班副给害了。”说完马志咧着嘴在一旁坏笑，露出门牙中间一道宽宽的缝隙。

当兵中

提高警惕
保衛祖国

五二九四二部队体工队合影一九七八年
元月廿一日

当兵前、复员后

英姿飒爽

人民共和国第三届
第三届运动会

第五章 飒爽英姿

初到太原

七十九次去西安的旅客快车在太原停靠时已经是晚上了。那年肖芳十六岁，刚开始在北京一五零中学读高中一年级。一天上课的时候，有两个穿军装的人突然推开教室的门，点名要找她"出来聊聊"。他们解释说是体校的教练推荐了她去当兵，而且要她第二天就到太原军部报到，换句话说就是当天晚上出发。当时肖芳的爸爸还在文化部的干校下放劳动，家里就妈妈一个大人，出了这么大的事情，妈妈觉得做不了主，只好找到她最好的朋友商量。两个大人说来想去，最后考虑到当时国家的政策仍然是有两个孩子的家庭，一定要有一个孩子上山下乡。她们二人觉得当兵比下乡强，当兵够了年头还可以复员回北京。就这样，为了今后弟弟不用再担心上山下乡这种事，妈妈只好决定让肖芳当天晚上就上火车。

走得这么突然，肖芳完全没有任何心理准备。“为了不让弟弟去插队，就让我出来当兵？”当她手提着行李跟着人流慢慢朝出站口走的时候，脑子里还是有点儿糊涂。“哎，那就当吧，出来看看也行，反正又不是我一个人。”肖芳和同行的几个人出了火车站，一眼就看到一块木头牌子，上面歪歪扭扭地写着：“欢迎北京来的田径队员”。牌子下面有个小战士等在那里，于是她们几个人就跟着这个小战士走到一辆没有篷子的大卡车旁边。这时车上已经有不少人了，是一群男兵，七扭八歪地坐在车厢地板上，敞着风纪扣，歪戴着帽子，“那样儿别提显得有多大了”。眼见这些新来的人要上车，这群男兵们既不起身，也没人帮忙接一下行李，就那么无动于衷地坐在那里。

车走到半路，梁歌忍不住了，第一个主动开口搭讪，问她们是谁，打哪儿来？到部队来干什么？结果这伙新来的人谁都不爱搭理他，只有跳高的莲斌被问得不耐烦了，索性回了一句说：“你问那么多干吗？我们是北京队的。”这下可好，那群男兵一下子哄了起来，七嘴八舌地数落梁歌，说他“多嘴”，“自讨没趣”，过了好一会儿梁歌才慢慢地给自己辩解说：“鲁圣不是说女排的要来了吗？而且里面好像还有一五零的呢。”听他提一五零，这下轮到肖芳好奇了，就顺便问了一句：“你们是一五零的？”话音刚落，“呼啦”一下子有七八个人都把手举了起来。这下她才明白原来这群男兵是六十三军男排的，外出比赛完了刚刚回到太原。听说肖芳是一五零体育班的，男兵们可就来劲喽，七嘴八舌问这问那，学校如何啊？夏老师好吗？北京怎么样啦？大家聊了好一会儿，然后不知道谁说了一句“到了，这就是军部”。当时肖芳心里说：“我简直不敢相信自己的眼睛，这就是军部？这军部怎么漆黑一片，没点儿灯光啊？”

在去军部的路上，肖芳注意到在车厢的一个角落里坐着一个人，看不出身高，脸晒得黑里透红。他在那里光听她和男兵们瞎聊，一句话也不说，只是偶尔侧过脸来看她一眼，直到最后要下车了，才冷冷地朝她说了一句：“你们几个刚来，千万不要太学生气了。”他这句没头没尾的忠告，肖芳当时完全无法理解。可是谁想得到呢，把他们这群北京来的学生兵搞在一起，日后竟会惹出那么多麻烦。而且她后来才知道那个提醒她的男兵就是田地，一五零男排的主力二传，也是她的好朋友何榕的崇拜对象。

“肖芳突然这么一走，我和沈红的心里马上就觉得特没着落。你想啊，我们和她不仅是一个学校，而且还是一个班的啊。”自从肖芳当兵以后，何榕每天上学往座位上一坐，就看到肖芳的书桌空在那里，立刻觉得好委屈，在心里不住地责问自己，为什么当兵的事情就轮不到她的头上？班上的每一个同学都非常羡慕肖芳 穿军装，戴军帽，配上红色的领章帽徽，走在大街上那得有多精神啊！接到肖芳来信是何榕最盼望的一件事。她渴望知道部队生活的一切细节，每天几点起床，几点睡觉，在哪里训练，伙食怎么样，都吃什么，特别是肖芳来信说六十三军里有个男排，而且里面还有好几个是一五零中学的，何榕的心立马就飞了。当她后来听说一五零男排的田地也在六十三军排球队，何榕的心里就越发不安分了。何榕和田地都是打二传的，田地比何榕高好几个

年级，何榕早就听说田地的组织能力强，人也长得帅，心想要是能和田地一起打球，那该有多好。后来肖芳又来信说男排有个叫鲁圣的很快要回京挑人，“我就更不安心了。什么上课不上课的，根本管不了那么多了，就盼着鲁圣赶紧来把我招走。”何榕微笑着说。

同山西省队的那场比赛后北京军区体工队就开始同鲁圣接触，等到打完当年的军区排球比赛，六十三军赢得第三名，鲁圣就被正式上调到北京军区排球队了。“当时六十三军就来了我一个人，赵彬是后来调到军区来的。”

一天鲁圣正在军区训练，突然接到李干事的电话，说是要开军区运动会了，是第六届，军里决定要他回去为六十三军效力，还问他有什么想法。听了以后鲁圣挺高兴，心想和那帮弟兄们也有日子没见面了，所以就很痛快地答应了。没想到李干事后面还有话，说是军里同时决定成立女子排球队，要鲁圣去什刹海或者西城体校看看有没有合适的队员，“帮忙挑几个带回去”。一听他这句话，鲁圣当时就在电话上跟李干事嚷上了，说那年你把男排十几个人弄到六十三军，说好了的到太原就发军装，补办手续，然后就去南方冬训，结果呢，一下子把大家发配到原平，劳改了大半年，不仅不让打球而且还不给办入伍手续，差点被逼着当了逃兵。“这次你又来害女排，这种缺德的事，不干！”李干事听了以后在电话上一个劲地解释，说不是他不办，是那天军长发了脾气，不让办。“但是后来还不是都给办了？就是时间晚了半年嘛。再说了，既然是当兵，总要把连队的生活过一下，不然怎么知道什么叫部队呢？现在你我都是六十三军的人了，你总不能眼看着部队在军区运动会上丢人现眼吧？”听他这么一说鲁圣心里的火也就消了大半。鲁圣知道有好多女排队员非常想当兵，可是当时没有部队招人，想想这毕竟也是成人之美的好事，他也就同意了。

没过几天李干事果然来到八大处，还随身带了封六十三军政治部的介绍信，事情搞得挺正规。这么着鲁圣就和他一起去了西城体校，招来了小杰、章婕和小凤，随后又去了什刹海体校和一五零中学，找到女排的宗教练和董老师。那年也巧了，正好没有全国中学生排球比赛，所以就把何榕、沈红、小唐子、大陶她们几个人偷偷地带了出来。“你看看，都是被丫李干事害的，结果让我也当了一回人贩子。”鲁圣露出一脸的无奈。

靓丽的女球兵

对那一身国防绿军装女排队员真可谓是“情有独钟”。女排队员们入伍是在七十年代后期，那时正在酝酿着一场同“文化大革命”完全不同的社会变革。这场变革就像阵阵春风，由南向北，逐渐地吹遍了整个大江南北，慢慢地融化了“文革”十年的严冬冰雪，悄悄地唤醒了人们对真、对善，特别是对美的追求。这几位刚刚离开学校随即加入解放军行列中来的女兵们，爱美的意识也正在她们的身上逐渐苏醒。平时在球场上摸爬滚打，身上穿的总是那套运动服，每天洗完了穿穿完了洗，早就没了什么新鲜感。一身崭新的国防绿军装，配上鲜红的领章帽徽，再加上那顶无边

软帽，便成了女球兵们脱下运动服后最美丽的服饰。不仅如此，她们还千方百计把那身不知道是按照谁的身段裁剪的军装修改得更加合体，更富有个性。

为了突出她们女性的青春靓丽，女兵们冒着受处分的危险，悄悄地把肥大的军裤裤裆改短，把面口袋一样的裤腿改瘦，有的干脆把军裤改成直腿裤或者小喇叭裤，以体现她们那双修长的美腿。肥大宽松的军上衣更是不能容忍，一定要把“H”型的夏装掐出腰身，把冬装腰部的棉花抽出来，扔掉，以此显示少女丰满婀娜的身体特征。部队发的粗布白汗衫直接进了箱子底，取而代之的是她们从北京带来的碎花衬衣或者色彩鲜艳的圆领排球衫，更有女兵干脆空心穿军装，露出白嫩细腻的颈项。部队配发的那双丑陋无比的“老头鞋”大多数女兵在当兵的几年里根本都没上过脚。她们脚上穿的是刷洗干净的“白边儿布懒”，那条细细的白边儿不仅要用“美加净”牙膏仔细刷洗干净，而且还要涂上薄薄的一层大白。

生活上更讲究一些的女兵，每到晚上就把脱下来的军裤认真叠好，工工整整放在枕头下面，以便第二天穿时裤子上有两条笔直的裤线。为了让洗完的军上装不褶皱，她们在部队配发的搪瓷缸子里倒上滚烫的开水，用来充当熨斗，把军装的领口熨平，把前胸和后背熨得笔挺。每逢重大的节日，特别是“八一”建军节，这些打扮得漂漂亮亮的姑娘们跑出军营，三五成群地拥到军部附近的坞城路照相馆，拍下身穿军装、飒爽英姿的照片，寄给远方的家人和同学。

从上中学的时候起，这些小运动员们的头发大多是扎着两个小“刷子”，或者是留着齐耳短发。当了兵她们的发型基本没变，仍然是那“两把刷子”或者是短发。这种发型既适合运动员特点也符合部队的要求，干净利落、易于打理。部队绝不允许女兵留长发，更不许烫发，但是为了漂亮，会打扮的姑娘就在“刷子”的造型上和头发的刘海儿上细心地做起文章来。她们睡觉前用发卡，如果实在找不到发卡就用吃饭的筷子加工自己的发梢和刘海儿。把发梢卷在筷子上、用发卡把刘海儿装饰起来，过上一两个小时，发梢和刘海儿就加工好了。有条件的姑娘再往上面打些上海产的发蜡，让头发丝发出淡淡的油光。可千万不要小看这些小小的修饰，在那个崇尚革命的年月里，这种经过修饰的发型在茫茫的人海里会凸显出与众不同的个性——发梢微微往里扣，使两个小“刷子”齐刷刷的，显得很有造型；略带卷曲的刘海儿自然而且洋气，让身边的人看起来以为是天生的“自来卷儿”，这时候女兵的心中无比得意、骄傲。这些爱美的小伎俩在当时很容易招来“臭美”“德行”之类的批评，不过这些冷言冷语对有一颗爱美之心的女兵来说，根本算不得什么，反而会进一步强化她们对美的追求。她们当中的某些人甚至认为在这些表面的批评下面，往往掺杂着不可言传的羡慕和嫉妒的成分。

“只要一听说第二天不训练了，那头一天晚上连觉都睡不好，净想着明天上街如何打扮了。”小唐子高声说，“我们一帮子女兵多他妈牛啊，哦不对，多他妈风华正茂啊。穿上新军装，还翻出的确良花衬衫的领子，军帽下飘着的刘海儿。那刘海儿还是前一

天晚上用软电线卷了一夜的结果，连觉都没睡好。哎哎，我告诉你等我们都走远了，那些土老帽还站在那儿对着我们的背影自言自语呢。不过每次回到驻地总免不了让教练臭骂一顿，真他妈扫兴。”

“男人是真不懂头发对我们女兵有多么重要。”大陶说当年军部医务所的一个女兵在河边散步，捡到一个野鸭蛋，为了让头发黝黑锃亮，她舍不得吃，用那个鸭蛋洗了头发，结果挨了批判，好像还受到了处分。

为了保持她们的美发和水灵的面容，女排的姑娘们甚至用烧鸡跟老百姓换白萝卜吃。参加军区比赛前女排曾经享受过部队特级运动员伙食标准，三块八一天。据说这比当年军长的伙食标准还要高出许多，隔一天餐桌上有一只烧鸡。那天冰馨队长从食堂拿了一根大白萝卜分给大家吃，平时在山西吃不着水果，白萝卜吃起来那么甜、那么脆、水分那么多，真是好吃极了。女兵们一边吃，冰馨一边说多吃萝卜的好处。“它可以获得很多维生素，可以保养头发，还可以减少脸上的痘痘。”冰馨是女排中年龄最大的一位，比其他队员大好几岁，而且冰馨的妈妈还是医生，她说的话自然就赢得大家的信任。当即有人提议，既然山西没水果吃，可是萝卜有的是啊，为什么不拿烧鸡跟老百姓换白萝卜吃呢？反正烧鸡也已经吃腻了嘛，结果就有了女排拿烧鸡跟老乡换白萝卜吃的故事。“现在想起来是真够过分的，当时很多山里的老百姓每天还吃不饱饭呢。”小凤一边说一边摇头。

除了军装外，灰色人造革做的“马桶包”也是七十年代部队运动员的标配。只要遇到节假日，女排队员们就换上整齐的军装、背着马桶包逛大街压马路去了，所到之处一定成为这座城市的风景线。可以毫不夸张地说，在那个年代谁见到女兵都感到新鲜，尤其看到一群身材高挑、相貌和气质都与众不同的女兵，人们就会不自觉地停住脚步，站在那里窃窃私语，争辩她们到底是体育兵还是文艺兵？有的说是“文艺兵”，也有的说是“体育兵”，因为她们各个都那么高，还背着运动员的“马桶包”。但是不管是“体育兵”还是“文艺兵”，反正只要女排姑娘一走出军部的大门就立刻会招人围观，每到这个时候女排队员们的心里总是美滋滋的，骄傲得就像童话中的公主。

能穿上军装是很多人连做梦都不敢想的事情。“第一次穿上刚发的新军装美得合不拢嘴，就别提有多高兴了。穿上军装，戴着领章帽徽，身背马桶包，步行到太原的迎泽广场，周围的人都用羡慕的眼光看着我，有人小声说：‘看，看，小兵嘿，小兵。’”小杰愉快地说。当时小杰十六岁，长着一张娃娃脸，格外显得小，听到人们这样议论她，心里早就乐开了花。

这些女排队员几乎都是从学校直接到部队的，她们扔下书包就全身心投入到训练和比赛当中，根本没进行过军风军纪教育和新兵训练，在公共场合表现出来的那种张扬的个性，往往更容易引起路人的注意。一次在郑州参加比赛，章婕她们几个人有说有笑地并排走在马路上，正巧李干事走在她们身后。看到马路上的行人对女排队员指指点点、不时投来好奇和羡慕的眼光，再看看她们这些队员嘻嘻哈哈、旁若无人、一派随随便便的样子，李干事在后面突然大声说："注意队列！挎包大背！"听到命令，章婕感到很奇怪。"李干事说的注意队列还能明白，不外乎就是两人一排、三人一列嘛，人再多了就前后排成一长溜就行了。可是这'挎包大背'到底是什么意思，没人知道。"章婕不加思索，随口就问了一句。李干事听了一个劲儿地摇头，干脆说"左肩右挎！"这样大家才明白他说的意思。可是看看这些球兵是怎么背"绿军挎"的？有的单肩背，有的往肩后一抡搭在肩上，根本没有一点儿军人的样子啊，逛街回来以后，李干事在班务会上狠狠地批评了她们一顿。

类似的事例层出不穷。周日那天何榕和沈红她们俩逛大街口渴得不行。知道要注意军容风纪，穿军装不能随便在街上吃东西，她们俩人特意拐到一条胡同，在一个卖瓜摊前把"烧鸡帽"往胳肢窝一夹，就开撮西瓜。刚吃没几口就让李干事给抓着了。"嘿，你说世界上的事情就是这么巧了，怎么不管在哪里总是被李干事给抓着？不管我们俩人怎么求他，李干事还是当场给我和沈红一通臭训。瓜也别想吃了，丢在一边，下午回到营房还为此写了检查。"何榕说，"不过，估计男兵们都不知道，那时候我们把女兵的无沿军帽就叫'烧鸡帽'。"

从此以后女兵们就有了每周半天的政治课和军容军纪教育，学习整理内务，把被子叠成"豆腐块"，还要进行内务评比。叠被子、铺床单对女兵来说不是一件难事。她们天生就爱美，就爱整齐，稍加练习就可以达到部队内务的要求。看着干净整齐的内务，她们心里也觉得很高兴。问题是出在内务检查和评比上面。

球兵们一天三四次训练，一节课下来不是一身汗，就是一身土，总要不停地梳洗、打扮、换衣服。要想把早上起床整理出来的内务保持到晚上熄灯，几乎是不可能做到的事情。为了应付内务评比，不破坏那个好不容易搞好的“豆腐块”，球兵们有时候干脆穿着衣服、不盖被子睡午觉，免得受批评，得差评。这样做几次可以，时间一长谁也坚持不了。当时她们都觉得这些要求对球兵来说，完全是多此一举，根本没有必要。她们参军的任务是打排球，又不是准备去前线打仗，只要能拿到冠军，谁会管你床单是否平展，被子是不是叠整齐了？为此，队长冰馨几次向指导、领队和李干事反映情况，可是他们谁也不敢做主说女球兵可以不整理内务，这个矛盾一直拖到几年后女排解散。可是球兵们万万没有料到，球队解散后她们被分别下放到医院和通讯营继续服役，这时候她们才觉得幸亏当时接受了队列和内务的基本训练，不然的话在基层连队还不知道要吃多少苦头。

男兵堆里的女兵

女球兵在军营里嘻嘻哈哈、大大咧咧的张扬做派不可避免地给她们带来麻烦。

野战部队的主要任务是准备打仗，除了通讯、卫生和宣传队以外，部队中女兵极少。在女排队员到来之前，专门负责军部安全警卫的一八七师五六零团的营区内部，全是清一色的男兵。别说是女兵，就是一般的女性在营区内都很少见到。往往是连队干

部的家属来部队探亲，才能给这个纯粹男人的世界带来一些女性的色彩和温馨。忽然一日在这些结实、黝黑、强壮的男兵中间冒出一群长胳膊长腿、长相俊俏、气质非凡的女兵，立刻就给这个绿色军营注入了无限的青春活力。女兵们就像一朵朵色彩艳丽的鲜花盛开在绿色的军营，为平日单调的连队生活增添了一种别样的兴奋。

“我们女兵身上的军装如果只穿在一两个人身上，会显得很普通，要是全体女排队员都穿上军装，那阵势就太靓丽，甚至是让人感到有点儿震撼了。”章婕说。一时间这群女排姑娘成了军营里最亮丽、最具色彩的风景线。据说当时人们都羡慕五六零团的战士“眼（艳）福不浅”。在这个近乎封闭的男人世界里，能够天天看见漂亮的女兵，享受视觉、听觉甚至嗅觉上的满足，那简直是莫大的享受。那时不少部队干部子弟纷纷提出要求调到五六零团服役，为的就是能有机会接近这些漂亮的女兵，和她们靠得近一些，多看上她们几眼，听听她们悦耳的笑声，哪怕是能闻到她们头发上香波的气息，也是对渴望异性的一种安慰。

这支新成立的女子排球队的队员们全然不顾她们周围男兵们的感受。头戴“烧鸡帽”，露着短发，肩背“马桶包”，加上比文艺兵高大健美的身段，她们给这支历经百战、功勋卓著的野战部队带来一股飘香的春风，吹遍营区的各个角落，同时也不可避免地诱发了原本深埋在男兵们黝黑皮肤和坚实肌肉下面对异性的渴望。

偌大个练兵场，着装整齐的战士正在进行严格的队列训练，立正，稍息，齐步走，正步走，“一二三四”，喊声震天，歌声嘹亮。然而就在他们附近，这群新来的排球姑娘们身着短衣短裤，裸露着胳膊和大腿，在那里练习传球、扣球、防守、滚翻，在运动中不时掺杂着高声的呼喊和刺耳的尖叫。这景致，这声音，怎么可能不把男兵们的注意力吸引到这些姑娘们的身上呢？当时运动裤的布料是很结实的咔叽布，没有加入现在的腈纶、涤卡之类富有弹性的材料，而且为了方便大运动量训练和球场上的扣球、拦网、防守等剧烈运动，短裤的裤腿会做得很肥大，同时为了保护女孩子的隐私，也为了她们的生理卫生，短裤的后半部分在裤腿边上用松紧带固定，形成有弹性的紧身效果，短裤的长度刚好卡在臀部和大腿根折线上，紧紧包裹着微微上翘的臀部。运动员们穿的上衣是棉涤纶混纺、红白相间的紧身衣，紧紧包裹在女孩子的身上，勾勒出她们健壮、优美的身体曲线，凸显女性特征。有的女运动员，哪怕是在夏天也把厚厚的绒衣披在身上，松松垮垮的，露出大腿，远远望去这些姑娘就像没有穿短裤一样。这样的装束又怎么能不对在球场附近训练的战士们产生巨大的吸引力？他们的眼神自然会直勾勾地一动不动地盯着这群姑娘，她们跑动到哪里，那渴望的眼神就会不自觉地跟着移到哪里，就像在观赏一群美丽、性感的“怪物”，一边看一边咧着嘴憨笑。每到这个时候，指挥员往往会立刻下达转身的口令，让战士背朝女兵。尽管这样，有些战士的目光仍然舍不得离开这些健美的尤物，以至于遭到指挥员凶狠的训斥和尖酸的嘲笑。

一天的训练结束后，女兵们洗过澡，手里端着脸盆，三个一

群五个一伙，披散着湿漉漉的头发，裸露着胳膊和大腿，说说笑笑、旁若无人地从男兵身旁走过。每到这个时候她们对异性的吸引力会被无限放大，男兵们贪婪地饱览这难得一见的景色，张大鼻孔不停地吸入她们身体上发散出来的女性幽香。日子一天天过去，男兵们对女球兵的好奇与日俱增，体内难以抑制的原始冲动急需发泄，首当其冲的对象是小唐子。

小唐子身材高挑，走起路来昂首挺胸，通身带有运动员的健美气质。明亮的眼睛，高高的鼻梁，线条清晰的面庞被太阳晒得黑里透红。她笑容灿烂，牙齿整齐雪白，加上性格开朗，热情活泼，很多男兵都喜欢她，悄悄在背后叫她“黑牡丹”。这个外号很快传到小唐子的耳朵里，对此她毫不在意，反倒觉得挺高兴。“比他妈叫我黑煤球强多了。”

没人知道从什么时候开始，凡是有女兵的连队，每逢节假日便有女兵主动到男兵宿舍帮助洗衣服、拆被褥的传统。周日那天轮到小唐子给侦查连一班的战士拆洗被褥，忙了一整天回到宿舍，进门她就像发现了新大陆似的高声对女排队员说：“我说他们男兵也真够可怜的啊，一天到晚地训练不说，怎么到了晚上还得搂着‘半自动’睡觉啊？”

“是吗，真有这事吗？”章婕疑心地问。

“向毛主席保证！今儿我去帮忙给他们拆洗被褥，嘿，你们猜怎么着？看到他们丫好多人的被子和褥子上都有一圈一圈发黄的痕迹，我就问他们那是什么？”

“他们怎么说的？”小杰睁大了眼睛。

“那些小战士异口同声，说那是枪油。”

“那你呢，你怎么回答的？”何榕不怀好意地追问了一句。

“我说你们丫也太辛苦了，晚上睡觉还要抱着枪，那能睡好觉吗？”小唐子的话音未落女排队员们立刻哄堂大笑起来，大家前仰后合，一下子把小唐子搞得心里发毛，连忙追问：“怎么啦？怎么啦？你们笑什么哪？这有什么可笑的啊？”

队长冰馨在一旁看不下去了，连声呵斥她的小队员，一手把小唐子拽到走廊里。没过一会儿就听门外尖叫起来，然后就是小唐子一顿破口大骂：“X他妈的，有这么欺负人的嘛？！下次小姑奶奶我再也不去了。告诉你们，别让我再看见那几个浑小子，要不然我非得把他们的小鸡巴揪下来，扔到地上，再跺上几脚不可！让他们丫瞧瞧，小姑奶奶我可不是那么好欺负的！”

其实，这不过是个开头而已，事情发展到后来变得越发不可收拾。

同当年全国其他省市一样，五六零团驻扎的太原近郊晚上经常停水停电，夜里军营内一片漆黑，几乎是伸手不见五指，这给女球兵们的生活带来很多不便。女兵们原本住的就是男兵的宿舍楼，只是在楼房一层的角落里腾出了几间屋子给女排和其他运动队的女队员使用。由于女兵人少，就在宿舍楼外面专门修了一个厕所，专门给女队员使用。晚上停电，女兵们胆子又小，夜里上厕所一般都是大家约好了一起去。这天夜里何榕叫醒了几个姑娘一起上厕所。刚刚进了厕所门，她们就大喊大叫地跑了出来，说是看到有人趴在窗户上向里面偷看。她们这一阵尖声喊叫就像一

颗手榴弹在这个安静的军营炸了开来，顿时惊醒了许多人。有腿快的，没一会儿就把偷看女厕所的小战士给抓到了，这时男运动员也赶到了，不由分说上去就是一阵暴打，出够了气，才把人扭送警卫连看押，等候处理。

这原本是个很简单的事件，起因、过程和结果都很清楚，处理一下，给个警告，也就到此为止了。可是没有想到这个小战士的四川老乡们不干了，说是小战士偷看女厕所固然不对，但是男运动员也不能随便打人啊？！况且打得那么重，鼻青脸肿的，“不行！”“不干！”非要同时处理打人的凶手不可。就连体工队炊事班的四川籍战士也加入了老乡们的抗议行列，声称如果不处理打人的运动员，就不给体工大队做饭，有的厨师还扬言要给运动员的饭菜里下泻药。

事情一下子闹得这么大，团营连各级领导也没有料到，全都没了主意。联席会上各位首长商量来商量去，最后决定采取所谓“各打五十大板”的处理方法，各连队分别处理自己的人。该决定还特别强调如果有人胆敢继续闹事，就军法从事，直至开除军籍。事情就这样给压了下来，可是这个“各打五十大板”的决定在女排中如何具体落实呢？何榕她们几个是在夜间停电的时候一起去上厕所，完全符合“几人同行”的规定，显然她们是无辜的，这顿板子自然无法打到她们几个女兵的屁股上。和李干事反复商量了之后，女排的郭指导决定要借此机会把小唐子收拾一下，正是所谓“杀鸡给猴看”，借机整顿一下女排队员的生活作风，“刹一刹队内的不良习气！”

同男排的张教练一样，女排的郭指导也是山西人，原来也是山西省男排的主力队员。由于年纪大了，才从一线退了下来，担任省女排的主教练。同男排张教练不同的是郭指导在执行“三从一大”的训练方针时，特别强调其中的“从严”二字。不论是场上训练还是日常生活，郭指导一律从严要求，没有一点儿马虎的地方。这么说吧，他把山西省女排队员带得个个都像真正的解放军女战士，郭指导一句话，省女排队员一定会严格执行，真能做到令行禁止，不打一丝一毫的折扣。对他的这种带队方法也有不少人提出过不同意见，但是在郭指导的严格带领下山西女排培养出来了像周晓兰这样的国家级运动员，在这个铁一样的事实面前别人也就不好公开指责或者批评他了。

可是小唐子不一样啊，她性格开朗，敢说敢笑，训练时肯吃苦，球打得也不错，加上她还是个天生的左撇子，这在女排队伍中非常难得。小唐子也有大大咧咧那一面，对什么事情都有点儿满不在乎。球打好了，大家都高兴；球打坏了，她也不着急，“嘿，没事，再来哈！”在生活上她拖拖拉拉，军容风纪不严，内务整理不好。自从那次闹出了“枪油”的笑话之后，郭指导早就想把她“好好修理一下”，可毕竟那个理由不够充分，也说不出口。这次可好，团首长说了要各打五十大板，那女队员中一定是要有人挨这板子，既然打不到何榕她们几个人身上，那就只好打小唐子的屁股。

队务会上郭指导还没说几句话，小唐子就觉得事情不妙，觉得郭指导这次是冲她来了，这可把小唐子吓坏了。十五六岁的小姑娘初次离开家，到这么远的地方来当兵，根本没见过这架势。再说小唐子一直觉得郭指导平日待她不错，每次训练结束郭指导总是把她一个人单独留下，开个十来分钟的“小灶”，进行一对一的训练。有时星期天郭指导还会带她去太原市里逛大街，看个电影什么的，颇受待见。这次忽然看到郭指导这么严厉地批评她，没等他说两句小唐子脸上的表情就变了，再过一会儿眼泪就下来了，开始还是在那里独自呜咽，很快就成了嚎啕大哭。见此情形，一同从北京来的女排姑娘没有一个敢替小唐子辩解的，何榕开始还想替她解释一下，结果郭指导突然来了一声“咳嗽”，何榕赶紧把还没有说出口的话都咽了回去。女排队员都低着头，从沈红、章婕等主力队员开始，一个个地顺着郭指导定下的调子，浮皮潦草地批评小唐子几句，算是蒙混过关。

“那次开会可是把我吓坏了。我的妈呀，从没见过那个阵势，跟‘文革’那会儿斗地主婆差不多了吧。”小唐子心有余悸地说。“嘿，打那儿以后郭指导再也没有给我开过小灶了，周末上大街也不叫我了，改叫沈红了，你说这事儿闹的。”

不过谁也没有想到轮到队长冰馨发言的时候，会议的批斗气氛急转直下，几乎熄了火。冰馨一开口就把调门儿定得很高，说毛主席曾经教导过我们，“一分为二”是马克思主义辩证法的精髓，他老人家还说过，不论对人还是对事都要坚持“一分为二”的原则，只有这样才能够正确地区分敌我矛盾和人民内部矛盾，只有这样才能正确处理好人民内部的各种矛盾。“今天，具体到小唐子的问题，我个人认为我们也要坚持这个马列主义的原则，不仅要看到今天她身上出现的问题，也要看到她平时的优点，不仅要看到她现在的状态，也要看到她平时一贯的表现，这样我们才能对一名队员、一位战士有正确和全面的看法，才能……”

冰馨入伍前曾是甘肃省女排的主力队员，由于表现出色，曾被授予“全国优秀运动员”的光荣称号，据说在西北五省的所有运动员当中只有她一个人享有如此殊荣。冰馨出身于高级知识分子家庭，有种与生俱来的优越感。她聪明、勤奋、好强、爱学习、能说会道。她自视很高，处处拔尖，总是要出人头地。同时她也善于观察周围的人和身边的事，知道什么是世态炎凉和人情世故。她的真实思想和感情从不轻易外露，往往令人琢磨不透。在这支年轻的女排队伍中，冰馨和其他队员比起来，显得更加“成熟”“老练”。

身为女排队长，冰馨一贯是身先士卒，表现出优秀运动员的毅力和恒心。多年从事专业队的大运动量训练，她的手腕、肩膀和腰部全都是伤，但是她硬是拖着一身伤病，咬牙坚持参加每天的训练。腰伤不能蹲杠铃，她就在三伏天穿上绒衣连续跑上十个400米，练耐力，练速度，同时消脂减肥；腰伤不能进行通常的腹肌训练，她就原地练弹跳。由于伤病，她所做的每一个动作都不可能轻松完成，她甚至完成得非常吃力，但也要坚持不打折扣。在腰伤发作的时候，她躺在木板床上翻不了身，根本也下不了地，只好请队医到宿舍按摩、理疗，才能暂时缓解，即便是这样她仍然每天和大家一样参加训练。

作为队长，冰馨也敢于担当。在女排队员中她的年龄最大，

球龄最长，自觉不自觉地她就成了队里的“大姐”，在小队员面前颇有一种“舍我其谁”的气质。今天看到郭指导这样严厉地批评小唐子，冰馨毫不犹豫地站了出来。她先是把发言的调门儿定得很高，把平日学习的马列主义理论全都抖搂了出来，接着用毛泽东思想中的所谓“一分为二”的原理，变戏法一样地把小唐子的罪过减轻了一半，随后又抛出了“事实求是”和“要坚持走群众路线”两大法宝，用来说明要尊重排球运动员的特点和团结起来去争取胜利的重要性。

冰馨的发言让郭指导措手不及。他没有料到这位平日刻苦训练、比赛敢打敢拼、生活简朴、不爱打扮、服从命令、像“政工干部”一样的队长，竟然在全体队员面前亮出了和他完全不同的观点。面对她的发言，郭指导不知如何回答是好。但是小唐子听了冰馨的发言，倒是立马止住了哭泣。其他女排队员们也慢慢地抬起头，用惊奇的眼光看着她们的队长，就像在看一位从不相识的队员一样。其实这些女排队员平时不是很喜欢冰馨这个人，觉得她是“假正经”，“就会装样子”，可是现在看来喜欢不喜欢她是一回事，关键时刻能否替大家出头、扛事儿，则又完全是另外一回事。

听着冰馨发言，李干事在心里也琢磨开了。他记得招冰馨入伍的时候，她的文化水平并不高，好像只有小学文化程度。后来听说她入伍以后学习很刻苦，每天训练结束都坚持读书，写读书笔记，有空还练习书法，学习英语。据女排队员反映，晚上大家熄灯睡觉了，冰馨还拿着手电筒在被窝里学习。“在被窝里不停地写呀写，也不知道她写什么”，现在看起来冰馨是一个很有生活目标和计划的人，并且为实现她自己的目标勇于付出艰辛的努力。难怪她平常总爱说“女人要对自己狠点儿”，看来她这个“狠”字是表现在方方面面，不仅对别人，而且也对她自己。

“这是个优点和缺点都很突出的人，就看你从哪方面使用她了，说不定将来可以留她在军政治部工作。”写下这几行，李干事放下手中的钢笔，合上笔记本，原则性地表了个态度，然后就宣布散会了。李干事这时候完全没有看清，冰馨还是个很会经营关系、活动能量很大、善于走上层路线的人。这些特点日后成就了她在部队的升迁之路。从军校毕业以后，冰馨最终成为部队副师级的政工干部。两人在公共场合见了面，李干事还得先向她致军礼。

男排的大哥哥

接受了小唐子的教训，女排队员们再也不敢跟周围的男兵们随便说笑，她们把注意力逐步集中到身边的男排队员身上来了。

女排队员们对男排队员的看法，同对普通战士的看法完全不同，大家都从事排球运动，又是在北京城里长大的同龄人，女排队员们并不否认她们对连队的普通战士抱有偏见，觉得他们大都是农村兵，浑身土气，没有受过什么教育，更谈不上有多少见识，在他们面前女排队员总有一种优越感和炫耀的心理。而在男排队员面前，女排队员更多的是感到亲近、熟悉和一种不可名状的吸

引，这种感觉在不断的交往中逐渐加深。

“刚到部队见到男排队员的第一感觉是‘一帮兵痞子’，丝毫没有解放军战士的样子。”章婕毫不客气地说。男运动员一个个都是人高马大，把那个“马桶包”往身后一抡，松松垮垮，懒懒散散，没有一点儿正形儿。晓伟的头发长得不行，还留着小胡子和两个超大的鬓角；田地走起路来端着肩膀，双手插在兜里，老是左摇右晃的；鲁圣喜欢把军帽歪歪扭扭地顶在头上，风纪扣总是敞开着，说话还老骂骂咧咧。这让女排队员们普遍觉得男排队员的形象、做派、走路和站姿更像是一群穿着军装的普通老百姓，完全不像她们在北京上学路上经常看到的那些解放军战士，严肃紧张、斗志昂扬，更不像已经参军两年、受过严格军事训练的“老兵”。在这方面，女排队员反倒觉得那些土里土气的连队战士才称得上是真正的士兵，而男排呢？就是一群兵痞。

有一件事颠覆了女排队员对男排的印象。参加军区运动会之前，军里在五六零团大礼堂举行誓师大会。军体工大队全体队员按照参赛项目列队参会，女排和男排队员分别先后进入会场。在这个正式、庄重、严肃的场合，男排队员竟然一改原来吊儿郎当的做派，虽然还是那些面孔，但平时那种满不在乎、倦怠、不修边幅的精神面貌荡然无存，取而代之的是认真、投入、精神饱满、斗志昂扬。他们齐刷刷换上新军装，由邹峰班长带队，排成两队，队列整齐、步伐划一、风纪严肃。他们各个高大矫健、英俊威武、精神焕发，那股帅气和刚正的劲头是女排队员们从未见过的，这让她们刮目相看，好生羡慕。对此变化女排队员们马上就嘀咕开了，难道这真是平时接触、认识的那群男排队员吗？怎么会一下子就完全变成另外一群人了呢？其实那天更精彩的事情还在后头。誓师大会结束后，六十三军体工队员兵分两队接受王副军长、刘参谋长的接见。当军首长接见女排队员时，她们大都只会傻傻地一笑，递出双手跟军领导一一握手，一看就是一群没有经过正规部队训练的新兵，整个一伙儿披着军装的老百姓。当军领导走到男排队伍面前时，他们先来一个笔挺的立正，再行一个标准的军礼，然后才和军首长握手。

"喔啊，他们好精神啊！"大陶笑着说，"别看男排平时不显山不露水，还真有这么大的看家本事，尤其是那个军礼，太标准了。"回到宿舍大家不停地议论着男排今天的表现，回味着男排的行为举止，模仿着男排队员的军礼，可是不管怎样模仿，大家还都觉得不满意，达不到男排敬军礼的标准和威严的风范。甚至还为此发生了争执。

大陶和小凤说小孟的军礼最标准、最帅气、最震撼。

何榕不同意，认为田地的军礼最好看。

"田地不行，他老是端着个肩膀。"小凤争辩道。

"哪有啊，他怎么就端肩膀啦？"

"他没有端肩膀？那就是他脖子短了点儿！"大陶笑着做了结论。

这次誓师大会彻底颠覆了女排对男排的印象。闹了半天他们平时表现出来的懒散和无所谓只是一种外在的表面现象，是大多数运动员的一种"职业习惯"。经过几年部队的锻炼和熏陶，男排

队员他们的内心是那么的上进，他们骨子里具有与连队战士一样的军人本色，有独特的军人气质和源于内心的修养。他们在“正事”面前能够做到绝对服从，并能以认真的态度和顽强的精神坚决完成上级领导交给的任务，完全能够尽到一个军人的天职。

男排队员也把这种气质带到了排球场上。通过观摩男排的训练和教学比赛，女排队员时常按捺不住内心的兴奋，私下里对男排的表现品头论足，而议论最多的就是赵彬，说他英俊、阳光、沉稳、正直。他在球场上的眼神永远是全神贯注，输球时看不到他急躁、失控；赢球时又看不到他骄傲、飘飘然。姑娘们，尤其是小唐子，特别欣赏赵彬在球场上的动作，传球、扣球、鱼跃，说他简直是太专业、太完美了。赵彬给大家留下这么好的印象，自然也就成了几个姑娘心目中羡慕的“对象”。

男排和女排接触得越多，女排队员就更觉得男排队员身上有太多的优点，爱学习是他们身上最突出的一个。每当两支球队一起坐着大卡车到山西省队训练的时候，小文总是找个安静的角落坐下，把运动服脱下来往脑袋上一搭，手里拿个小本本，专心地在那里背他的英语单词，无论周围的环境多么嘈杂，男女排队员聊得多么开心，对小文丝毫没有影响。梁歌更是过分，走到哪里都会带上一本厚厚的书，名人传记或者外国小说，甚至是精装本的《资本论》，把女排队员吓得瞠目结舌，自愧不如。其实男排队员爱学习的风气在六十三军体工大队中是出了名的，这个“声名远扬”也是因为男排张教练的不断抱怨。张教练经常来找女排的郭指导，见面总是说男排队伍不好带。每个人都有自己的思想，学习倒是蛮有劲儿，可是他们的心思没有完全放在部队和打球上面。从张教练不经意间的抱怨加上平时的观察，女排队员真是不得不佩服男排队员的学习毅力和追求上进的风气。要知道七十年代中期人人都在混日子，而男排队员能有追求、有抱负，实属难得。也正因为那时候的刻苦努力，打下了坚实基础，他们复员后经过短时间的复习就可以立即参加全国高考，成功地改变了他们自己的命运，成就了梁歌、邹峰、晓伟等人今天的事业辉煌。虽然这些成功都是要过上几年才会发生的事情，但是当年男排大哥哥感人的形象就像一粒粒种子悄悄地种在了女排姑娘们的心里，扎了根，静静地等待春暖花开季节的到来。一旦时机成熟，这些种子就一定会萌发出嫩芽，先后绽放出各种色彩鲜艳的花朵。

第六章

男女搭配，干活不累

肖芳慢慢地注意到田地有时会用一种异样的眼神在观察她，特别是在他们两人独处的时候。这种观察让她觉得不好意思，脸上发热，心里嗵嗵地跳。田地在那里说什么她也听不清楚，只是看见他的嘴在不停地动，发出一连串“嗡嗡”的声音。其实肖芳喜欢听田地讲话，讲什么都行，故事、小说、历史、政治、中国和苏联打仗、尼克松访华，哪怕是偶尔拿她开个玩笑，她也十分高兴，和他一起大笑。田地的笑声很有感染力，是那种发自内心的开怀大笑，听上去让人开心，让人不得不认为他是一个真诚的人。

肖芳觉得田地这个人特别有思想，他不仅看了很多书，而且比男排的其他人更成熟。肖芳喜欢和成熟的人在一起。父母先后去了干校，她一天到晚总是和小弟弟混在一处，只有到了部队，远离家人和同学，她才有机会同田地这样的人接触，才发现自己原来是这么喜欢和比她大的人，特别是比她大的男人相处在一起。她觉得和这样的男人在一起安全可靠，可以信赖，不用担心，更不用操心，什么事情田地都会替她考虑好，这让肖芳觉得轻松、舒服。不过一想到田地他们马上就要去云南冬训，这一走就是好几个月，肖芳心里顿时觉得有点儿空荡荡的，不怎么踏实。

云南 昆明军区

一进门田地就觉得有点儿不对劲儿。家里似乎又回到“文革”前的样子了。被轰走的老保姆回来了，“文革”初期搬进来的两户合住的邻居搬走了。房间里增添了几件机关的家具，上面照例印着白色的“广播”二字。被切断多年的电话也给重新接上了。爸爸也好像完全变成了另外一个人，雪白的头发梳理得很整齐，黑色的棉衣棉裤不穿了，现在是一身笔挺的毛料子中山装。过去七八年总穿在脚上的那双“老头儿棉鞋”，换成了擦得锃亮的“三接头”，就连说话的口气和以前也大不相同，再也听不到他讲什么老子、庄子和陶渊明之类的话题，而是不断地说要认真读书，要解放思想，要认真总结历史教训，拨乱反正！二哥见田地的第一面就凑上来报告说：“咱老爷子解放了，上下班有车接送，还补发了工资。”说完一伸手，亮出腕子上的新表，“瞧瞧，日本精工，全自动，还是黑盘的。”和爸爸比起来妈妈显得老了不少，脸上的皱纹多了，人也开始发胖，可是精神很好。在饭桌上妈妈仍然是老样子，总是面带微笑，几乎一言不发，大多是听爸爸、孩子和他们的朋友在那里高谈阔论，偶尔她也会让田地讲讲他在部队的生活，听了一会儿，说：“哎，这孩子，变野了。”说完起身去厨房帮助金阿姨收拾碗筷去了。

“你这次去昆明要特别注意身体。都说那里四季如春，可那儿是高原地区，容易感冒，一旦感冒了就不容易好，要特别小心。”说完田地爸把手上的手表摘了下来，递给他。这块手表是五十年代田地爸第一次去苏联买的，劳力士，全自动，这么多年一直走得很准。这次他特意让田地带上，还叮嘱说“一个人在外面单独执行任务，需要遵守时间”。另外还让他再带上家里那台135 相机，也是在苏联买的。“有空多拍点儿照片，挑几张好的，印了寄回来给妈妈看，省得她老惦记你。”爸爸的这些叮嘱让田地在心里隐隐约约地觉得自从参军以后，他在这个家里的地位发生了变化，好像自己已经不再是个小孩子了，而是一个大人，是能够被信任、要准备担负起一定责任的成年人了，这种感觉让他感到高兴，有种莫名的兴奋。想到这里田地的思绪被一阵电话铃声打断。“侬现在下楼好不啦？”打电话的是昆明军区政治部的童干事，是这次军区专门派来接待六十三军男女排球队的。

童干事原是上海知青，“文革”初期来云南插队。他经常在省里和市里的报纸上发表各类文章、杂文和小说，便引起了军区政治部的注意，被招进了部队。后来他结识了军区总医院的陈护士，她也是上海人，两人结婚成家，生了个儿子。童干事个子不高，白净的脸上戴副黑边眼镜。由于长期不参加军事训练，身体胖乎乎的，略显臃肿。

童干事第一次见到田地就表现出超乎寻常的热情，不论是什么事，几乎是有求必应。他很快就把两支球队、二十几个人的吃住行和训练比赛都给安排妥了。今天晚上军区礼堂放电影，是内部军事参考片，按规定这是给军区团以上干部看的，童干事就跑去跟放映员解释说，人家是大老远从北京军区来联系工作的，“开个后门，该照顾一下嘛”。

大放映室黑了灯，童干事才领着田地悄悄地溜了进去，在后面的角落里找了两个挨着的座位。昆明军区机关放的电影果然同太原军部礼堂总放的《地雷战》和《地道战》不同，这次是纪录片，黑白的，实时地记录了代号为“和平 –72”的苏联军事演习。演习在冬天进行，银幕上冰天雪地，白茫茫的一片，没有一点声响。只见指挥员一声令下，突然万炮齐发，惊天动地，加上空中的轰炸机群，很快就把远山上的森林打成一片火海。密集的轰炸和炮击实施了十多分钟之后，火力逐步向纵深推移，被炸过的地方那些高大粗壮的林木变成了一片短木桩，曾经被白雪覆盖的土地就像被深耕过一样，成了一片漆黑的焦土。这时隐蔽在白色伪装网下的苏军坦克群跃出地面，急速向山上冲击，在运动中向各个军事目标实施精准的火炮攻击。跟在坦克群后面的是乘坐装甲运兵车的苏军士兵，待装甲车冲到山脚下，全副武装的士兵不等车停稳，就纷纷跳下，迅速散开，形成散兵线，向山上发起冲锋，“乌拉”的喊声响彻云霄。

放映的过程中，军区参谋部的俄文翻译在现场做着介绍，“地毯式轰炸十三分半钟”，“坦克集团冲锋”，“在运动中进行火炮射击”，“演习开始三十五分钟后装甲运兵车出动”。田地的屁股坐在椅子前沿，身体前倾，两眼直盯着银幕，专心听着说明，心脏嗵嗵直跳，手心渐渐渗出汗来。就在这时他忽然觉得有什么东西轻轻地放在了右腿上，低头一看是童干事的手。“估计丫被吓坏了”，这么想着田地把他的手移开，抬起头接着看电影。可是没一会儿，童干事的手又放了上来，这次还在慢慢地向上移动。田地有点儿糊涂了，“这是要干吗？”他试着再次把那只手移开，可是没有成功，那只手还是固执地放在他的大腿上，而且继续向上移动着。田地顿时觉得紧张、慌乱，他不敢扭头看童干事，也不知如何是好，下意识地用自己的双手把裤裆中间死死地捂住，眼睛依然紧紧盯着银幕，他脑子里现在却是一片空白，就像俄罗斯大地上的白雪。幸好这时放映结束了，顶灯一下子全亮了起来，童干事的那只手就像受了惊吓的蛇，“嗖”的一下溜走了。

在北京至昆明的三十一次直通快车上，二十多个年轻的士兵占据了车厢的三分之一。他们脱去军装，摘掉帽子，在那里又说又笑，就像在开茶话会。这次去昆明他们要在火车上度过三天三夜，时间长得难以打发，趁着领队和教练去了卧铺车厢，这群青年男女便有了充分的自由，打扑克，下象棋，看小说，吹牛聊大天。到了第二天，男排队员自发地组成一支小乐队，靳华拉二胡，书第吹笛子，赵彬和小孟也掏出了口琴。鲁圣、马志、小文不会摆弄乐器，就噘着嘴吹起了口哨。黄涛和梁歌干脆就地取材，拿着饭碗和筷子充当打击乐。邹峰手拿一根小竹棍站在他们

中间，充当乐队指挥。随着竹棍在空中挥舞，乐队奏出各种革命歌曲，就连平时不爱讲话的大成，受到音乐的感染，这时也大大方方地唱了几首外国民歌：《莫斯科郊外的晚上》《深深的海洋》和《三套车》。大成是典型的男中音，声音深沉、柔和、悠扬，非常动听，令人陶醉，受到女排队员的热烈欢迎。

老郝是太原人，操着一口标准的晋中方言，这时候也捏着嗓子唱了起来："人说山西好风光，地肥水美五谷香，左手一指太行山，右手一指是吕梁，站在那高处，望上一望，你看那汾河的水呀，哗啦啦啦流过我的小村旁。"老郝个子高，一边唱还一边用双手不停地敲打着车厢的门框，增强民歌的节奏感，同时以当地人特有的感情把这首歌唱得亲切、感人，女排队员公认这是她们听过的最好听的一次演唱。这时候乐队现场发挥，转而演奏《步步高》和《彩云追月》。女排队长冰馨禁不住一跃而起，拉着宣明在车厢的过道上跳起了交际舞。看见有人带头，老郝也拉着队医小郭跳了起来。真没想到这两对舞伴跳得就像是熟练的老搭档，舞步协调，配合默契。长胳膊长腿的运动员在舞场上也别有一番韵味，一投足、一转身真是优美、舒展、大方，大家不断地拍手叫好。

"老郝后来告诉我，像冰馨和宣明他们这些专业队运动员，那些年在全国比赛期间经常参加各个省队举行的联欢活动，又唱歌又跳舞，什么新疆舞、蒙古舞、陕北的大秧歌，都很流行。"队医小郭说，"不过跳交际舞，那还是他们的教练在五六十年代从苏联和东欧国家队学来的。他们学会了就教给队员们，不久人人都会跳了。老郝他跳得不好，完全是个大活宝，蹦蹦跳跳的真像只猴子。”小郭说这话的时候脸上露出发自内心的微笑。列车上的这次即兴舞蹈是队医小郭第一次把自己娇小的身体投入一个大男人的怀抱。

在大家说笑弹唱和欢快的舞步中，小杰和晓伟悄悄地躲在一个角落。开始他们还是隔着小桌子面对面地坐着，一边说笑，一边在小纸条上写着什么，没有多久就坐在同排座位上，小纸条没有了，变成两个人在对方的手心上写了起来，写完了还颠过来倒过去地看，就像是在猜字谜。

“你不许蒙人哈！”小杰用命令的口吻对晓伟说。

“不骗你，这真的是谜底嘛。你看你看，这不是一边大，一边小，一个能跑，一个能跳吗？”

“什么能跑能跳？”小杰还是不解地问。

“左边这个‘马’字不是能跑的吗？右边那个‘蚤’字不是可以跳吗？”

“蚤是什么，怎么会跳呢？”

“不会跳，为什么叫它‘跳蚤’？”

“啊呀，是跳蚤啊。难怪老觉得浑身痒痒的，是不是你身上的跳蚤跑到我身上啦？讨厌死了你。去去，离我远点儿！”

冰馨和宣明的交际舞也感染了其他队员。邹峰扔掉竹棍拉起大陶，章婕主动邀请赵彬，小孟搂着小唐子也扭搭扭搭地加入交际舞的行列。这几对初学者迈着鸭子似的舞步，磕磕绊绊，不时踩到对方的脚，尽管如此也不放弃。他们一边扭头观察，一边

模仿着冰馨和宣明的步法，不时争论着怎样才能掌握节奏，踩到点儿上。尽管男步不潇洒，女步不优美，心情却无比快乐，跟着时常跑调的音乐跳动、旋转，一支曲子跳完了就交换舞伴再接着跳。小唐子趁机一下子拉过赵彬，把他紧紧搂住，眼睛盯着他，身体大胆地扭动，赵彬的脸一下子就红了起来。见此情形，章婕立刻扭过头去，眼睛直直地看着车窗外面。

昆明火车站

站台上田地挎着相机，双手交叉在胸前，腕子上的手表在阳光下闪闪发光，这姿势让他十分得意。

童干事忍不住瞥了那块手表一眼，然后就像没事人一样接着聊那天看过的纪录片。“这种电影看着才是真叫过瘾，你说是不是啊？不过真要是同苏修干起来，我看够呛。听说有的团干部看电影的时候都给吓哭了。”

“是吗？那他们还怎么打仗啊？”

“打仗？这个容易啊，谁哭得最厉害就让谁先上前线嘛！”

“真是不着调！”田地想着列车就进了站。多日不见，当男女排队员走下火车，田地顿时觉得一种亲切感和兴奋油然而生。其实他自己也不明白为什么这次会派他来昆明打前站，猜想可能是指导员的推荐，有意培养他，让他独自出来执行任务，借机锻炼一下。不过也可能是通过六十三军那几位老首长的关系，指导员了解到田地家有个邻居现在是云南省组织部的部长，所以就派他带了介绍信先来昆明探探路子。但是不管怎么说，大家多日不见，总是想念得不行，在站台上相互拥抱、问候、打闹、说笑，乱成一团。还是大成眼尖，一下车就看到了田地手中的相机和腕子上的手表。

“行啊，田班副，几天不见鸟枪换炮啦！”说完就从田地手中抢过相机，打开盒子，稍稍琢磨了一下，就“咔嚓”“咔嚓”地拍了起来。

“嘿，也给我拍几张。”何榕赶紧凑了上来。

“悠着点儿嘿，胶卷可贵着哪！”

“别理他，拍咱们的！瞧他这抠门儿劲儿的。”何榕嗔怒地说。

这时田地从眼角忽然瞥到张教练和郭指导陪着一个陌生人从卧铺车厢那边走了过来。看样子那人有五十岁上下，个子不高，帽子不正，一边走一边用那双细细的眼睛直愣愣地盯着田地，还不时和张教练说着什么。宣明走过来趁着握手的功夫，悄悄地在田地耳边说：“那个人是军教导队的高级军事教官，姓张，到队里来当领队。咱们指导员另有任务，不能来昆明，军里临时决定让他带队。据说张领队是石家庄步校的毕业生，军事技能一般，心眼儿特小，容不得人，你我都得小心他哈。”

老郝也凑上来说：“你想想如果他水平很高，不管是军事技能还是政治素质，军教导队也不会让他出来带咱们排球队嘛。”说完他一吐舌头，“我X，这话可别传到他耳朵里去，要不然这日子没法过了。”说完他拉着身边一个女兵的衣袖走开了。

“队医小郭，这次军里给咱们男女排配备的。”宣明看着田地一脸的困惑，连忙解释说，“不过刚上火车就被老郝搞上手了。”

这会儿田地顾不上这个新来的队医，他三步并作两步跑到两位教练和张领队面前，立正，敬礼，然后恭恭敬敬地向领队伸出双手。

昆明军区第二招待所

招待所的会议室布置得很简单，墙上挂的毛主席像依然披着黑纱，不过在他旁边增添了华主席穿军服的彩色照片。长条桌子上摆着茶杯，男女排队员们分在桌子两边，面对面地坐着。两位教练坐在队伍的上首，张领队当仁不让地坐在桌子的头上，端出一副大首长的派头。

刚刚吃过晚饭，是军区政治部请客，欢迎友军的排球队来昆明冬训。张领队在饭桌上喝了不少酒，这时候脸红红的，口齿也不大清楚。他先喝了一大口茶，在嘴里漱了漱，这才说：“嗯，不错，不错，云南的普洱茶就是名不虚传，好，好。”他把嘴里的茶叶吐回到杯子里，操着浓重的邯郸口音接着说，“我知道大家一路上很辛苦，想早点儿休息，我和两位教练商量过了，咱们就开个短会，先让田地介绍一下昆明这里的情况，然后你们就回去睡觉。不过呢，大家也不要忘了，这次到昆明来是肩负军首长的重托，我们一定要把冬训搞好，为夏天的北京军区运动会做好充分的准备。”

看到张领队给了他一个眼色，田地接过话题说："这次来云南，昆明军区首长非常重视。大家都已经看到了，住宿安排在军区招待所，领队、教练每人一间房，队员四人一个房间，而且保证每天有热水洗澡。"

听到这话女排队员的脸上马上露出了笑容，何榕小声地说："嘿，真够意思啊。"

"伙食呢，和昆明军区体工队的标准一样。咱们带过来的伙食标准供应不够，不足部分军区决定由他们后勤部负责补齐。咱们训练也可以分时段地使用军区体工队的场馆。以上所有这些优越的条件都是军区政治部的童干事给咱们一一落实的。"听田地这样说，大家都笑着鼓起掌来。一直坐在桌子一角的童干事连忙起身，点着头说："没有，没有，我可没有那么大的本事。一是军区领导重视，二是田地他认识咱们省委组织部的张副部长，他打一个电话，就全部搞定了。"

"另外，通过原来我们体校陈健民的介绍，我自己去看了一下军区男女排的训练。他们女排是以当地十四军的女排为主，基本上就是个业余队，水平一般吧，我们女排打她们应该没有什么问题。"

"这下就好办了。"冰馨高兴地说。

"不过他们男排水平很高，看上去很多队员是打过专业队的……"

"昆明部队男排去年是全国排球比赛的第八名，冲进了甲级队，目前是全国甲级队中唯一一支部队排球队。"宣明插话，"他

们最近从全国各地找了不少人，当中有的队员，像吴兵和侯小飞，都是非常优秀的运动员，听说侯小飞很有可能去国家队。”

“还有那谁，老左、小贺、老刘和大宝他们几个，我们原来和他们打过全国比赛。”老郝补充说。

“另外他们当中有的队员还去了三十八军，比如原来我们校队的主攻陈健民。”田地又补充了一句。

“嗯，这种‘大换血’说明三十八军是想夺取军区运动会的第一名，昆明部队他们是想保住甲级队的地位。如果我们要和昆明部队打比赛，现在的实力没法赢他们，我看能和他们打满五局就是很好的成绩了。”

“气可鼓不可泄啊，”没等宣明说完，张领队突然开口，“打这个排球我是外行，不过我看这就跟打仗一个道理，勇者胜！不管对手有多强，只要敢打敢拼，就一定会战胜对手。”说完张领队又喝了一大口茶，“来之前嘛，闫指导员跟我说，咱们军长曾经亲自给你们讲过六十三军的军史，那你们一定还记得抗美援朝那一段吧？美国强大不强大啊，我们还不是照样把它打趴下了？由十七个国家军队组成的联合国军厉害不厉害啊？我们还不是把他们统统战胜了？所以我看啊，咱们冬训首先要解决的还是思想问题，要树立敢打必胜的决心。当然，技术和战术也很重要。来的路上我和两位教练认真交换了意见，我同意他们提出的要坚持大运动量的训练方针，要一不怕苦，二不怕死，平时多流血，战时才能少流汗嘛。”

“是平时多流汗，战时才能少流血。”张教练满脸堆笑地提醒他。

“对，对。总之就是要多流汗，甚至流血，才能打胜仗。”张领队对自己的发言很满意，“好了，今天的会我看就先开到这里吧，再开下去大陶和俊凤她们几个人都要睡着了。不过这比赛我看还是要早打，出其不意，先声夺人嘛。散会！”

按照张领队的意见，六十三军排球队到昆明没有多久就先后同昆明部队男女排打了两场教学比赛。结果正如预料的那样，女排三比零轻松取胜，毫无悬念。男排打得异常艰苦，比分交错上升，前四局打成了二比二，这时对方也开始觉得事情有点儿不妙，如果万一输了，像山西男排那样，还真没法儿向军区首长交代。所以在第五局就把全部主力队员换了上去，使用了各种战术，最终以十五比十一决定了胜负。

比赛刚一结束，张领队迫不及待地向太原军部报功，说是女排的战绩是三比零，可谓旗开得胜。男排虽说是二比三输掉了，但也打得热火朝天，很有气势，可以说是虽败犹荣。现在两支球队在昆明的冬训正在按原定计划逐步展开，争取在身体素质和技战术的训练上有所突破，希望通过三四个月的训练把排球队的技术和战术再提高到一个新水平，请军首长放心！云云。

“田地，信！山西——太原——肖缄。”老郝读完信封，顺手把它扔给田地，“这么神神秘秘的落款，一定是情书吧，啊？”

“是吗？看完了我告诉你哈。”

“诶，你可不敢告诉我，你一个人知道就行咧。不过你看，

还是我这个小郭好，信纸、信封和邮票钱都他妈省咧。”

“哎，你们这些老队员就是事儿妈！”同宿舍的黄涛冒出来一句。

握着厚厚的信封，看到上面清秀的笔迹，田地知道一定是肖芳来的。他赶紧爬到上铺，一头倒在床上，撕开信封，抽出信纸，仔细看了起来。

田地，你好！

昨天收到了你从昆明寄来的第三封信，勿念。

信中提到的你们和昆明部队的比赛，真是打得够激烈的啊！虽然输了，那我也为你们骄傲。告诉你，现在体工大队上上下下几乎所有的人都知道了你们的比赛结果，我听李干事说，等你们回来军里可能还要给你们男女排庆功呢！真为你们高兴。

昨天山西大学那个叫二牛的人来了。（你怎么在哪儿都有认识的人啊！）他可真能聊，书看得也特多，而且还会写诗，能出口成章。聊得高兴了，他就站在那里大段大段地朗诵，没一会儿就把我们宿舍里的女兵全给迷住了（嘻嘻）。

哦对了，这次他给我一共捎来三本书：《红与黑》《九三年》和《红字》。他没有找到你说的那本《温泉》，所以就找了本《红字》，是美国人写的，说是以后找到了再给我换。这厚厚的三大本书真不知道从哪一本开始看起。记得你走之前说过，你最喜欢的小说是《九三年》，要不我就从这本书开始读吧，这本书有二十三万字啊，我一天看一千字，也要看二百三十天呢，到那个时候你大概已经从昆明冬训回来了吧。

还有，我得告诉你一个不好的消息，我挨批评了，因为偷吃罐头。体工队的伙食太差劲了，北京队的莲杰说我们伙食里的营养成分根本不够补充训练的消耗，所以我就买了一些罐头，补充营养。吃完的罐头盒被我随手扔到上铺，反正那上面也是空着的。没想到前天突然检查内务，我们指导员看到那些空罐头盒，把我狠狠地训了一顿，说我是“骄娇二气”，没有“一不怕苦，二不怕死”的精神，要我写检查，还说如果检查不深刻，就要把我下放连队去锻炼呢。你说这可怎么办好啊，都怪我当初没有听你的话，现在后悔也来不及了吧？

……

田地自己也说不清是从什么时候开始关心起田径队的肖芳来了。那天晚上在太原火车站，知道田径队来的六七个人里就肖芳一个人是一五零的。晚上到了军部吃夜宵，碰巧又和她坐在一起，顺便就多聊了几句。大概就是从那儿开始，他们两人在训练之余或者晚饭以后会在一起散步聊天。以后慢慢地接触次数多了，小孟他们几个人有时会在旁边起哄，可是田地也没多想。不过这次离开太原之前，他利用和小文一起骑车去买火车票的机会，偷偷约肖芳出来见了一面。这才头一回清晰地感觉到他这是在同一个他喜欢的人道别，他才第一次在心里尝到了什么叫分别的滋味，他才第一次明白了什么是书中经常提到的“恋恋不舍”这四个字。

记得那天他们在营区外面的田埂上并肩坐着，小文忠实地在

远处替他俩放哨。田地一个劲儿地叮嘱肖芳需要注意的事情，同时也借机把她仔细地打量了一下——浓黑的头发，甜润的脸庞，雪白的脖颈，丰满的胸脯，结实的肩膀，长长的胳膊，还有修长的手指。这是田地有生以来第一次在这么近的距离仔细地观察一个女孩子，这种体验让他感到兴奋、幸福，现在田地躺在床上，闭上眼睛，能够清楚地看见肖芳的那双眼睛，大大的、圆圆的，明亮透彻，她目不转睛，就像他曾经养过的那对“斑点儿”信鸽，眼睛直视着你，嘴里还“咕咕”地叫个不停。此时此刻田地甚至可以闻到肖芳身上那种少女特有的芳香。那香气从她的头发和身上散发开来，弥漫在空气中，这迷人的味道明明就在你的身边，又好像是从一个遥远的地方徐徐飘来；明明是一种全新的体验，又好像似曾相识，期待已久。无须任何气力，那香气会沁透肺腑，经由血脉，直达四肢，让田地感到舒服、放松、慵懒、飘飘欲仙……

“嘿，吃饭！就等你一个了。”宣明用拳头敲打着田地的床沿，“瞧你笑得美滋滋的，这做的是春秋大梦还是黄粱美梦啊？”

“那肯定是春梦喽。”

“哪儿啊，不是春梦，一定是‘小孟’。”站在门外等他吃饭的球兵们哄笑起来，还伴随着几声尖锐的口哨。

伤病

同昆明部队那场比赛的成绩出乎多数人的预料，男女排队员现在普遍认为只要再苦练一个冬天，说不定男排真可以打败这支甲级队了。

“到那时候，再拿个北京军区运动会排球冠军，立功受奖，还能入党。你们男排在咱们体工大队可要牛死啦！”何榕不无嫉妒地对田地说。

“我看不少人真是这么想的，要不然大家怎么对大运动量训练都不再抱怨了呢，不过千万不要把我们都练成一群死牛了。”

男女球兵们相互鼓励，咬牙坚持。两队之间甚至开展了所谓“一帮一”的活动。男女队员一对一凑成对子，主攻和主攻，副攻和副攻，二传和二传，场上场下相互交流。白色的排球在男女队员的手上传过来扣过去，既提高了技术，又增进了两支球队之间的感情。他们的交往像兄妹一样，单纯、热情、积极、向上，笑语欢声，快乐的气氛充满了训练场地和队员们所到的任何地方。正所谓“男女搭配，干活不累”，冬训初期居然也掀起了一个训练小高潮，连一贯秉承“男女授受不亲”、反对男女排队员过多接触的郭指导也不得不承认它的积极效果。

体育运动，不管你承认也好，不承认也好，毕竟也是一门科学，违背科学，一味地增加运动量肯定要出问题，甚至遭受惩罚。果然就在男女排队员热火朝天地进行冬训时，他们的身体却一个个地垮了下来。

“刚到昆明的时候，我们心里好像有一种‘知恩图报’的感觉。”小杰说她通过和晓伟的接触，才知道女排的生活同男排比起来要好很多。其实在太原的时候女排的日子也不好过。在营房

里用四摞砖头支起一张木头床板，薄薄的褥子下铺了一堆烂草还美其名曰“榻榻米”。而且太原常常停水停电，训练之后的个人卫生特别不方便。女排住的宿舍楼里只有男厕所，“那个男厕所忒他妈的脏”（小唐子语），要上女厕还必须到楼外面去，只有在“特殊的日子”才许可所谓“男厕女用”。到了昆明，住在军区第二招待所，条件这么好，伙食标准又高，还有男排大哥哥每天陪着训练，女排队员都觉得再不好好训练就实在对不起军首长的关怀了。年轻姑娘们每天一个劲儿地拼命训练，不叫苦也不怕累，但是结果却大大出乎她们的意料。

最先出问题的是章婕。长时间的超大运动量训练，章婕的右腿膝盖内侧到小腿肚子有一天突然疼痛难忍，周边也开始红肿起来，走着走着膝盖就卡住了，打不了弯儿，里面“嘎巴”“嘎巴”地响。这个症状在上下楼的时候都很明显，就更别提起跳扣球了。在这种情况下，郭指导不准她休息，要求她每天照常坚持参加训练，包括力量训练。指导还说腿部肌肉的力量增加了，关节的负担就会减轻，疼痛自然也就会消失。没办法，章婕只好在前一天晚上求助队医小郭进行膝关节理疗和按摩。第二天早上起床后第一件事，先试着在膝盖关节部位慢慢找到一个合适的位置，使膝盖能够打弯儿，然后戴好护具，才能和大家一起进行训练。这样坚持了几个星期，眼看实在疼得不行了，指导才同意让她去军区总医院，检查结果是“副韧带严重拉伤，半月板部分断裂，建议手术治疗”。为了能够保证参加夏天的军区运动会，队里和医院商量后决定采取“保守疗法”，不动手术，用理疗的方法慢慢恢复。这个出人意料的诊断和治疗方案让男女队员的心里都不好受，也唤起了赵彬的同情心。借训练之余赵彬会独自一人乘公共汽车去医院探视章婕。

“今天觉得好些了吗？”进了病房，赵彬总是这样一句开场白，“上次给带的是水果和点心，这次给你换换口味。”赵彬说着从口袋里掏出几包话梅和果丹皮。

见了这些姑娘们喜爱吃的东西，章婕不禁笑出声来。“哎呀，又麻烦你了。老来医院看我，这样你休息不好，怎么训练啊？”嘴上这样说，章婕内心却感激不尽。一个人在外，最怕生病。所以赵彬每次来医院都会安慰、开导章婕，要她以好的心态面对伤病，不要有思想负担。赵彬还把许多战胜疾病的真人真事讲给她听。如果有一段时间他不能来医院探视，赵彬会用军线偷偷给章婕打电话，询问伤病恢复的情况。“他真比我亲哥还亲，是个有情有义的战友。”

接着倒下的是何榕。那天在正式训练开始之前，女排和男排一起踢足球，热身三十分钟。春天般的阳光，平坦的球场，绿草如茵，男女队员们快活地在足球场上迅速奔跑着，忽然听到“哎哟”一声，何榕一下子倒在地上，双手抱着左脚，脸上一副痛苦万分的表情。冰馨见状赶紧跑过去抱住她，不断地安慰；看到已经肿起来的脚踝，宣明连忙脱下运动服加以包扎固定；老郝叫喊着“我去给军区总医院打电话叫救护车”；田地不由分说，和靳华一起架起何榕往球场外送。何榕嘴里不停地叨叨：“放下，快把我放下，这让人看了多不好意思啊！”面对眼前发生的这一

幕，郭指导站在场外袖手旁观，无动于衷，脸上毫无表情。领队在听到汇报后更是冷言冷语地说：“轻伤还是不要下火线嘛。”领队这种对伤病不负责任的态度进一步强化了郭指导固有的想法，女运动员“要狠练，才能出成绩”。

过去在体校，不论什么项目女运动员的训练一般都是由女教练员负责。六十三军女排请来的却是一位著名的男教练，这让姑娘们在心里是又兴奋又害怕。兴奋是这下可以受到名师指点，技术提高得一定很快。怕的是她们正值青春发育期，姑娘们的很多“特殊情况”很难跟郭指导启齿。郭指导安排的训练，如果没有非常特殊情况，如痛经、经血过多等，无论是练防守、练进攻、练战术、练配合或专项训练，队员一样都不少，要照样在球场上摸爬滚打。在春城昆明女排姑娘大多是穿短裤在室外训练，在练防守倒地和滚翻救球时，地上的黄土、沙子会从短裤带到内裤里。回到宿舍脱下运动服，浑身上下里里外外都是泥土，大腿内侧磨得红肿生疼。这在平时，冲个澡洗洗干净也不算什么，可一来例假就存在不卫生的情况。为了自我保护，对那些难度很大的球女队员们就不太愿意拼命地去救球。有一次大陶来例假，一个三角区的球没救起来，郭指导勃然大怒，罚大陶左滚翻救球二十个、右滚翻救球二十个。大陶不好意思跟教练说明情况，只好哭着坚持训练，最后还是冰馨实在看不过去了，走上前去跟指导说明，这才饶了她。

女孩子生理期时不好意思跟男教练启齿，郭指导又不问青红皂白地坚持大运动量训练，这使正值青春期又是在城市长大的女排姑娘饱受委屈和折磨，吃尽了苦头。带着腹痛训练或上场比赛是常有的事情，结果个别队员甚至落下“例假综合征”。时至今日女排队员自从跟郭指导分开后没有一个人跟他保持联系，就连郭指导很喜欢的沈红也早就不再理他。

不过也应该说句公道话。那个时候郭指导把女排姑娘当男运动员一样的训练只是事情的一个方面，女排队员对自己要求过于严格，上进心太强，也不能不说是原因之二。她们不愿在每个月必来的例假期放弃哪怕是一天的训练，生怕影响球技的提高，更不愿看到队友的水平超过自己，从而打不成主力位置。结果在女排队员身上几乎看不到“小女人”的娇气、傲气、任性和以自我为中心的不良习气，到头来不少女排姑娘也为此付出了沉重的代价。

章婕和何榕出现伤病后，男排队员的身体也很快出现了问题。先是老郝在大便中发现鲜血。开始他不告诉任何人，生怕耽误了训练，只是偷偷地让小郭给他“控制病情”。后来严重得路都不能走了，这才不得不到军区总医院检查，诊断结果是“严重痔疮，立即开刀”。老郝无法继续参加训练，面对空出来的位置，队里临时决定由梁歌接替老郝打副攻。有机会打主力阵容梁歌自然很高兴，每天训练干劲十足，“就像是打了鸡血”一样。可惜好景不长，在一次六十米冲刺跑的高强度训练中，梁歌右腿股二头肌突然撕裂，一头栽倒在跑道上，被急救车送进了军区总医院，成了老郝的病友。

再次出现副攻位置空缺，教练和领队经过反复考虑决定让晓

伟而不是小文，接替梁歌打副攻的位置。晓伟原来是北京四十四中的学生，是市体校林教练的门生，参加过北京市中学生排球集训队，在球场上有一股子敢打敢拼的狠劲。世上偏偏就有这么巧的事情。晓伟参加主力阵容的训练不到一个月，就开始感到腰疼，而且日渐严重，赶快跑到军区总医院做检查，居然是患了“急性肾炎”，尿检的结果是三个加号！医生说到了四个加号就可能会死人。这下就连总是强调“轻伤不下火线”的领队，也只好批准晓伟不再参加训练，改任队里的文书，直接为他本人服务。

其实在昆明冬训期间，男排队员当中伤病最严重的是队里的书第。书第是全队身体训练方面的标兵，负重下蹲，不论是半蹲还是全蹲，总重量都是全队第一名。当时他是队里年纪最轻的队员之一，平日训练身体恢复得快，体内一些深层次的问题没有暴露出来。复员后没有几年的时间，书第身体内部的问题就爆发出来，他几乎不能独立行走，要靠轮椅和拐杖才能维持日常生活。

眼见身边的队友在不到两个月的训练中一个个地倒了下去，宣明、老郝和冰馨几位老队员心急如焚。几个人私下里反复商量，决定不能再继续这种自杀式的训练方法。他们主动召集领队和教练开会，反复强调科学训练的重要性，宣明更是找出国外身体训练的数据，说明体能训练不得超过身体承受能力的百分之八十，否则一定会出现严重伤病。这不仅是指直接的损伤，如章婕的半月板和梁歌的肌肉撕裂，而且由于身体过度疲劳，不能完全恢复，也会继续造成其他方面的不良后果，如何榕、老郝和晓伟。与此同时，冰馨还擅自作主，把在昆明冬训出现的情况写成报告，直接反映到六十三军政治部，引起军领导的重视。经过开会研究，军首长明确要求男女排球队以及其他运动队在训练中，特别是在身体训练中，一定要尊重科学，量力而行，否则欲速则不达，导致“非战斗减员”，反而会影响军区第六届运动会的成绩。在回复中军首长还进一步指出，“如果执行不力，考虑可以派李干事到昆明替换张领队的工作”。在多重压力面前，领队和教练这才不得不接受批评，改正原来的做法，将训练量逐步调整下来。

虽然训练指导思想的调整是背着大多数男女排队员做出的，可是他们还是直接感受到了近来发生的一些变化。领队不再每天出现在训练场上，就是来了，也不再对运动员指手画脚，发号施令了；身体训练的次数和重量开始减少，更多的是强调技术训练和战术配合；最令人惊奇的变化是女排居然暂时停止了训练，接受十四军的邀请，在春季期间到远在中越边境的开远地区，“为基层连队战士打几场精彩纷呈的表演赛”去了，其实说白了就是请她们和当地体工队员一起过年。

哀莫大于心死

一九七七年春节前夕老郝和梁歌相继归队，晓伟的肾炎病况也稳定下来，至少没有再向坏的方向继续发展下去，这给被伤病困扰的男排带了一些欢乐的气氛。大家开始准备高高兴兴地过大年，尤其是看到女排去了中越边境，男排队员在心里羡慕得不得

了，都想借着过年休息这两天好好玩一玩。运动量逐渐减少，让这些小伙子们的身体里又重新注满了活力，青春的躁动虽然还没有一个明确的发泄目标，但是它带来的快感还是能够被真切地感受到，床单上也开始出现了“枪油”的痕迹。

最开心的要算老郝。他平日就爱抽烟，这次来昆明特意从太原带了一大包“小兰花”。这种烟不是按盒卖，而是论斤称，卷起来抽特有劲儿，可别人闻起来奇臭无比。老郝可不管那些，抽了一根接一根，简直就像个烟筒。不管队医小郭怎么说他他也不听，说多了老郝就急了，“还没过门儿，瞎吵吵什么你！”训得小郭经常是眼泪汪汪。可是这次从医院开刀回来老郝就像变了一个人，很少再对小郭发脾气，而且每天乐呵呵的，嘴上还不时地哼个小曲儿什么的。往日叼着的“小兰花”改成了粗大的“烟泡”，一有空就掏出个绣花荷包，卷上一根，坐在喷云吐雾，那股青烟香气扑鼻。

“田地啊，你介绍的那个医务处的张主任真是个热心肠，人好得很。这次手术多亏她帮了忙，不然我这辈子就完咧。”说着老郝吐出一个烟圈儿，“不过我跟你说啊，她家里的那个老范，那才是个了不起的人才。”说着还竖起了大拇指。

老郝说的这个老范，父母都是山西人，父亲还曾经担任过煤炭部的副部长。“文革”时受到冲击，这时已经平反。老范本人原来在京西煤矿当挖煤工，干了一年实在受不了了，就托他父亲的关系到云南十四军当了一名炮兵。老范在一一八团没怎么学打炮，反倒成了个“大玩家”。花鸟鱼虫，吃喝玩乐，无所不能。

他听爱人说总医院里住进来一个道地的太原人，就迫不及待地登门拜访。和老郝见面一聊，两人即刻成了莫逆之交，整天混在一处。眼看老郝可以下地走路了，就拉上老郝东跑西颠。知道老郝爱抽烟，就给他介绍云南当地的各种烟草，还特意给老郝买了那个绣花荷包当作礼物。不过老范没有告诉老郝，他现在抽的这种烟叶其实是野生的大麻叶子，只是没有经过加工提纯而已，多年后老郝才知道了这个秘密。从部队转业后，老范被分配在北京什刹海体校，当了一名政工干部，成了体育圈内的人，这让两人的关系更加密切，至今还是好朋友。此外，六十三军女排第二年又去了驻扎在大理的十一军进行冬季训练，这个安排也是老范从中牵的线。

眼看就要过年了，男排运动员自然也想好好庆祝一下。他们当然不能像女排队员那样用心思地去打扮自己，而是在私下里琢磨着如何在春节期间大吃大喝，来个一醉方休！最好还能利用两天的假期，找到那个被老郝吹得神乎其神的老范，也搞点儿那香喷喷的烟叶子，好好过过烟瘾。可惜这些美好的愿望和计划还没有来得及实施，忽然就被一场比伤病更可怕的噩梦粉碎了。

大年二十九，结束了年前最后一次训练，队员们正在宿舍里休息，聊天、打牌、弹琴、唱歌，邹峰一脸严肃地走了进来。他站在楼道当中没好气地说："都别玩了你们，开会。马上去会议室，现在就去，都去！"说完，一转身就先走了。

同晓伟、小文他们比起来，邹峰平日是个少言寡语的人，更不喜欢拉拉扯扯、打打闹闹，特别是去年他成为六十三军体工大

队成立以来第一个被批准入党的队员之后，他觉得自己应该成为大家学习的榜样，觉得自己更应该比其他人都做得好才行，才算真正对得起共产党员这个光荣称号。从那以后不论在什么事情上，他处处以身作则，就连平日待人接物这些小事，他也非常注意，不高声说话，更不敢发脾气骂人。可是今天他这是怎么了？好像他和鲁圣打架时的那股子劲头又回来了。大家嘀嘀咕咕地陆续进了会议室，抬头看见领队一脸怒气地坐在正中，他身边的张教练也没有了往日一脸的堆笑。

看见大家都坐下了，领队并不着急说话，仍旧绷着脸，坐在那里好像在酝酿着什么。时间一分一秒地过去，屋子里静得能够听到墙上挂钟的滴答声，甚至能够听到人们的呼吸声。正当这种沉静变得越来越不可忍受的时候，领队猛地把椅子向后一推，紧接着大声说：“老子当兵三十多年，还没有一个人敢这样侮辱我！”说着“啪”的一下，把头上的军帽摔在桌子上，露出光亮的脑壳，几根长长的头发盘卷在头顶上。“我告诉你们，不要欺人太甚！别以为你们多念了几年书，多喝了几瓶墨水，就了不起了。告诉你们，老子就是不吃你们那一套！我在队里一天，就要管你们二十四小时，在队里一年就管你们三百六十五天，你不服管教我就给你处分。对，给你们处分！我可不是你们那个什么马教官，光说不练，你们去军教导队打听打听，我张某人什么时候说话不算数？！我从来都是一是一，二是二，想在我这里占了便宜，以为还能卖乖，没门儿！”说完领队离开座位，围着会议桌走了起来，慢慢地走过每一个男排队员的身后，同时大声叫嚷道，“说吧！是谁在背后写诗骂我的？你们早说出来，咱们就早完事，大家还可以过一个好年。如果你们不说，那咱们今天就没完。你们不让我的日子好过，我就不让你们过好这个年！说！是谁在背后写诗骂我的？坦白从宽，揭发有功，是邀功还是受过，你们自己看着办！”

领队在会议室里又转了两圈，看看还是没有人搭茬，心想这些小王八蛋还挺能扛，行，那就让你们扛吧，他又说大声说道：“既然都不吭声，那好，张教练，还有宣明、老郝，咱们走，让他们几个在这里好好反省一下。我就不信，揪不出来这个利用诗歌在背后骂人的黑手。”

听了他的话张教练起身出去了，老郝正要起身，这时宣明说了一句：“教练和领队，你们两位先走一步，老郝和我随后就来。”

“我觉得老郝和我不能走。我们这些人每天在一起吃，在一起睡，在一起训练，现在他们几个遇到麻烦了，我们俩怎么能甩手不管，一走了之呢？”宣明后来说，“他们几个是北京来的，我和老郝是山西人，可我们是一支球队，怎么说也是一个整体。我们真要是走了，那我们这个队伍肯定就完了。不要说往后还能不能在一起打比赛，就是在一起住宿吃饭都会成为问题。所以我当时觉得我们俩无论如何也不能走，甚至连那个会议室的门都不能出。”

会议室静悄悄的，大家就那么坐着，没有一个人说话，更没有一个人站起来要去揭发立功。不知道过了多长时间，马志坐

不住了，他先是在椅子上扭来扭去，发出一些恼人的声音，最后还是忍不住开口说：“咱们也不能在这里坐一晚上啊，总得……”他下面的话还没有说完，就听一声“马志！”小孟在桌子另一头用严厉的声音制止了他。“我当时真想骂他一顿！装什么和事佬啊你？你也不看看人家宣明和老郝，跟咱们非亲非故，就这么陪着。可你倒好，嘿，居然想让人家去自首，这不是装孙子吗？！”小孟后来说。

最后，还是小文自己受不了了。他慢慢地从座位上站起身，低着头，对大家说了一句“我找他自首去”。说完就朝会议室大门外走，梁歌、大成、黄涛、赵彬几个人连忙起身想拦着他，不让他去，但是小文已经是铁了心，豁出去了。

“在开大会之前，我们党小组三个人先开了一个碰头会，当时领队在会上就点了小文的名，还说要给他处分。领队气急败坏，当着我和教练的面背出了那首诗的全文。这下弄得我特别紧张，心想小文这次算是完了，以后不管怎么表现，在部队算是没有任何发展前途了。”邹峰说。

其实小文写的这首诗一直都在队员中私下流传，大家觉得非常好笑，仅此而已。这下被领队一搞，弄得大家都很紧张，心情非常不好，整天没精打采的，人人自危，觉得队里出了叛徒，至少是个奸细，专门向领队打小报告。男排队员们从此变得谨慎小心起来，说话都防着，生怕被告密，甚至开始猜想到底谁是这个奸细。有人觉得是邹峰，他是唯一的共产党员，领队追问起来他能不说吗？有的认为是晓伟，他得了肾病后不再参加训练了，成了队里的文书，整天和领队搞在一起，怎么可能不说呢？还有怀疑梁歌和田地的，二人积极要求入党，这不正好是一个表现的机会吗？不过小文本人倒不觉得是有人告密，反而认为应该是领队自己看到的。他记得那天他随手把日记本放在床上，就出去训练了，“肯定是领队趁着宿舍里没人，偷看了我的日记”。

小文的内心很苦闷。他现在认为当兵最难忍受的就是从单纯的学生生活突然进入部队的这个转变。上级欺压下级，老兵欺负新兵，一天到晚总是处在被教训的地位，这比单纯的军训、干农活、翻地还难熬。每天要政治学习，说一大堆废话，听得心里烦透了。“不但要听别人说，自己还得说，还得在会上发言，就像在地狱里一样，无法忍受。吃穿不好，身体疲惫都是小事，精神上的折磨才是对十六七岁的学生的最大摧残。”小文说这是他写诗骂领队的根本原因。（注：那是一首藏头诗，故原文不在此引用。）

过了正月十五好几天，女排队员才高高兴兴地回到昆明。这次十四军接她们去过春节，玩得实在是太开心。最让这群姑娘开心的是十四军里有个男篮，男篮里居然有四个北京人，而且他们都住在西城区三里河和百万庄一带，和有些女排队员的家近得不可思议。“在北京坐公共汽车不过几站路，没有机会相识，却在千里之外的云南见了面，这肯定也算是一种缘分！”俊凤高兴地说。

从此以后，十四军男篮和六十三军女排之间的接触就变得频繁了。他们常常一起乘大解放，车上车下好像有说不完的话，唱

不完的歌。每逢男篮打比赛，女排队员就是他们的啦啦队，在场外尖声喊叫。虽说是“男女授受不亲”，可实际上完全不是那么一回事。一天晚饭后十四军领导安排女排在军部小礼堂看电影《阿娜尔罕》，男篮队员也在场一起观看。演完后大家有说有笑地从小礼堂楼上下来，经过一片漆黑的小树林，突然发现小唐子和男篮的小赵躲在树后！这时大家才恍然大悟，高声起哄！幸亏当时郭指导没有一起来看电影，不然小唐子肯定又得遭到训斥，大哭一场。春节以后女排返回昆明，小唐子和小赵两人靠书信联系。在他们频繁的书信交往中，章婕，这个女排中的秀才，就充当了小唐子的“代笔”。一次章婕在信的结尾大胆地加上了“吻”字。在那个时代这个字可是太超前了，可惜小唐子不认识，把它错念成“勿”，她的“勿你”从此成为女排姑娘永久的笑料。

回到昆明，女排队员把她们在中越边境附近看到的和听到的一股脑儿地讲给男排队员听，和他们一起分享。可是完全出乎她们的意料，这时候的男排同她们走之前的样子已经完全不同了。一个个没精打采，好像被霜打了一样。“我们也不知道发生了什么事情，冰馨也说她不清楚。郭指导肯定知道，但是他不跟我们说，真是干着急。”小杰说。

最可气的是女排队员们特意给男排的大哥哥们带了不少礼物，有南方的特色水果和各种越南小吃。她们大老远地背回来，男排队员对这些东西好像根本没兴趣。“从十四军回来后第一次一起乘车去训练，我好心好意给邹峰挑了一个特大的火龙果，又红又香，他肯定从来没吃过，可能也根本没见过。嘿，他一转身，把它让给其他人吃了。这是哪儿和哪儿啊，太伤人心了吧？”大陶没好气地说。

不过女排队员也注意到现在几乎男排的每个人都抽起了烟叶。他们没事就坐在那里把废报纸撕成条，然后掏出个小荷包，从里面抽出棕黄色的烟叶，碾碎，用报纸条卷起来，再用舌头一舔，粘住，点上火，猛抽一口，闭上眼睛，慢慢吐出青烟。“看他们在那里喷云吐雾、洋洋得意的样子，我都觉得恶心，想吐！”冰馨气愤地说，“这哪儿还像个运动员啊？”她分别找宣明和老郝说了好几次，要他们两位老队员起模范带头人的作用，振奋精神，搞好训练，不然怎么能打好军区运动会呢？可是说了半天也没见什么起色，结果冬训就这么结束了。

肖芳，你好！

非常高兴能在我们离开昆明之前收到你的来信，我一直都以为不会再收到你的来信呢，看来是我多虑了。

告诉你哈，前两天军区体工队特意邀请我们一起去游览滇池和龙门，算是给我们送别。滇池可真大啊，一眼望不到边，就像大海一样壮观。滇池旁边有座亭子，叫“大观楼”，上面写有郭沫若的一首诗。可是不管怎么读，我都觉得它更像一首歌谣，不信你试试：

果然一大观，山水唤凭栏。

睡佛云中逸，滇池海洋宽。

爬上龙门立刻就觉得海洋宽的滇池原来也不过就是一盆清水

而已，丝毫没有了原来的气魄，这感觉好奇怪。

下山的时候偶然看到石门柱子两边有一副对联，是这样写的：

置身需向极高处，举首还多在上人。

不知道为什么，这两行字深深地印在了我的脑海里，时不时就会浮现出来。我先把它写在这里，回去后再和你讨论吧。

好，不多写了，我们现在就要出发去火车站了，希望这封信能早日到达你手中，更希望能早日见到你本人。想你！匆匆搁笔。

此信由军区政治部的童干事代我发出。又及。

第七章 兵败如山倒

北京 西城 新街口外大街十九号

北京师范大学的前身是一九零二年创立的京师大学堂师范馆。一九一二年，京师大学堂改名为北京大学，师范馆也改成了北京高等师范学校，十年后又更名为“国立北京师范大学校”，成为中国历史上第一所专门培养教育人才的大学。校址原来在和平门外大街，后又迁址到新街口外。自清朝末年建校以来，该校同学积极参与争取独立、自由、民主、富强的进步事业，在一九一九年的五四运动、一九三五年的一二九运动，以及后来的多次爱国学生运动中发挥了重要作用。在其百年历史上，多位名师先贤曾在此弘文励教，如推动戊戌变法的梁启超、新文化运动的旗手鲁迅、共产党的创始人李大钊、历史学家陈垣以及范文澜和白寿彝等。

不过在一九七七年夏初，田地对这所大学一无所知，更没有

想到一年以后他会成为这所外号为“吃饭大学”的历史系学生。那年田地他们一行乘车驶入北京师范大学东大门，目的是为了找个训练吃饭和睡觉的地方，备战第六届北京军区运动会的排球比赛。出乎他们意料的是在北师大意外地遇到了分别多年的林教练和夏老师。

林教练是“文革”前北京体育学院运动系球类专业的高才生，毕业后和运动系的同学吴彬一起被分配到北京市体校当教练，一干就是二十来年。吴彬教练主攻武术，培养出了全国武术冠军李连杰和后来的电影导演吴京。林教练带领师大女附中排球队破天荒地打败了“排球之乡”广东台山的女子排球队，勇夺全国中学生女子排球冠军。林教练说他小时候学习很好，就读浙江温州的瑞安中学，按现在的话说是当地的重点学校。可惜的是他有色盲症，高考时许多大学专业都不收他，只好选择了学习体育。“文革”后期，邓小平再次复职后，教学质量又被重新放到各大院校的工作首位，北师大抢先一步把林教练调入体育系。夏老师所在的一五零中学，原本就是北师大的附属中学，“文革”期间移交北京市管理，改名换姓成了“一五零”，现在复归北师大系统，成了它的附属“实验中学”，这样一来夏老师自然也就成了北师大的常客。

林教练和夏老师也没想到会在北师大见到自己当年的学生。看到小伙子们都穿上了军装，长大成人，自然非常高兴，真心地为他们骄傲。这次听说他们在一个月前的预赛阶段，以五胜一负的优异成绩在七个北京军区军级单位中取得了小组第二名，顺利进入决赛，“我X，你们很牛逼啊！”林教练仍旧操着一口南味儿的北京话。他们详细地询问了同北京装甲兵（三比一胜）、北京卫戍区（三比二胜）、山西省军区（三比零胜）、北京炮兵（三比零胜）和六十五军（三比一胜）的战绩，听到同三十八军的比赛是零比三告负，林教练毫不掩饰地说：“这并不奇怪。他们三十八军本来就兵强马壮，那个教练王文泉也是个滑头，你们在决赛中要赢他们恐怕还有不少困难。不过只要你们好好打，进入前三名我看还是有把握的。”林教练的这个估计同宣明和老郝两人在私下做的预测完全一致。

能取得前三名的成绩当然好，不过对田地来说在山西临汾二十八军驻地举行的预赛上以三比一的成绩赢了北京装甲兵队是件非常痛快的事情。北京装甲兵为了迎接这届军区运动会，特意从上海市体校招了一帮运动员，由一名教练亲自在场上带着他们打比赛。世上就有这么巧的事情，这支队伍里甚至还有田地、梁歌和晓伟他们一九七三年在全国中学生运动会上的老对手。当年田地他们代表北京市中学生参加在长春举办的全国中学生排球比赛，就是意外地输给了上海市中学生代表队才没有赢得前三名。那天比赛打得非常激烈，在关键的第五局，田地作为替补队员上场，教练对他的要求就两个：第一“发好球，过去就行”；第二“做好防守，特别要防好乱球”。果然不负众望，田地一上场就发球得分，把比分追成十七平！全队一片欢呼声，就连坐在场外的教练员们也都兴奋地站了起来。接下来经过几个来回的争夺，换成对方发关键球，北京中学生队接发球不到位，居然送给人家一

个“探头球”，只见对方四号位的主攻手跳起来就是一记重扣，但由于用力过猛，眼看排球就要飞出场外，全队一致高呼“界外！”可是这时候田地紧张过度，头脑发热，导致判断错误，在底线六号位跳起来去接那个界外球，造成打手出界，结果以十八比二十的比分痛失比赛，北京中学生队跌出前三名，只得到可怜的第四名。每当想起这场比赛，田地都有一头磕死在场上的念头！苍天有眼，四年后终于让他有机会出了这口恶气。

林教练早就不记得这件事了，他更关心的是为什么在队里没有见到黄涛、书第和靳华他们几个队员？说来这又是一件伤心事。昆明冬训出现各种问题，训练效果不佳，张领队采取欺上压下的手法，一下子把黄涛和书第他们三个人推出来作为替罪羊，通通下放到繁峙五六五团当大头兵去了。听了这话，林教练和夏老师你看看我，我看看你，坐在那里不停地摇头叹息，没有任何办法。这是部队，不是体校，用小文的话说是“一级压一级，没地方说理去”。

北京 西山 八大处

西山，顾名思义，位于北京市正西三十里处，属太行山脉的一支，为著名的风景名胜。香山、鹫峰、碧云寺和八大处的寺庙分别建于隋、唐、明、清时期。一九零零年，八大处各寺庙遭八国联军破坏，一九四九年后经过多次重修，开辟为八大处公园。八大处公园因佛教的“八刹”得名，并以十二胜景著称。八大处公园冬季暖和，夏季凉爽，植被茂密，如一处长安寺的白皮松、四处大悲寺的银杏、六处香界寺的白玉兰和八处证果寺的黄连木，树龄都超过了六百年。西山八大处之所以著名还因为它是一个戒备森严的军事禁区，是中国人民解放军战时指挥中心。北京军区的司令部、政治部和后勤部机关也设在这里，其中军区后勤部又是这次排球决赛的比赛场地。

参加军区男子排球决赛的是保定和临汾两个预赛区的前三名，一共六支球队，分别是二十七军、二十八军、三十八军、六十三军、六十九军和北京装甲兵。决赛采取单循环制，不带预赛成绩，哪支球队得胜场次多，哪支球队就是军区排球冠军，这样一来一场混战是绝对避免不了的了。抽签结果出来后，有四支球队被安排在运动会开幕式当天比赛，六十三军男女排分别对阵三十八军男排和六十六军女排。

设立女子排球比赛是军区运动会破天荒的第一次，参赛的代表队不多，没有预赛，六支代表队直接进入决赛。

结束昆明冬训后，六十三军女排也按期来到北师大进行赛前训练。这是女排成立后第一次在军区比赛场亮相，队里的气氛相当紧张，要求也很严格。不过这也是女排队员当兵后第一次回到北京，看到熟悉的环境和街道，女排队员的心里也就浮躁了。利用训练后的休息时间和晚饭后的空余时间，她们寻找各种借口出去会同学或者偷偷跑回家看望父母，想来个“公私两不误”。没想到好景不长，这个“开小差儿”的办法让郭指导给发现了，马上采取严厉的惩处措施。一天晚上小杰和俊凤俩人偷偷溜出去看

电影，让指导给逮了个正着。第二天上午训练结束后，郭指导罚她们俩人跑圈。八月份的北京中午的太阳剧毒，站在那里不动都烤得受不了。北师大的操场四百米一圈，指导让她们俩每人跑十圈，每一圈还必须在规定的时间内完成，不然的话再加一圈。小杰的身体素质比较好，很快就完成了要求，这下可是苦了小凤。只见她满面愁容，一边跑一边流着眼泪，越跑圈数反而越多。站在一旁的女排全体队员都帮着她向指导求情，但是怎么说也没有用，直到把小凤累趴下为止。自从那次被罚长跑以后，小凤的身体有很长一段时间都恢复不过来。

六十三军女排除去冰馨以外，队员何榕、沈红、大陶、小唐子、章婕、小杰和小凤这几个队员都是从业余体校直接参军，当兵的时候也就刚十六七岁。她们个头很高，可是心理幼稚、单纯，没有心眼儿，打起球来也是学生气十足，不够老练、刁钻。面对这种状况，六十三军首长命令李干事设法从河北队紧急招募了老党、东东和李丽几名老队员。这些有过专业队经验的运动员同这帮北京学生完全不一样。她们几个人尤其是老党，无论在场上打主攻，还是在平时训练都能发挥出专业队水平。老党出身贫寒的家庭，母亲一人把她和弟弟从小拉扯大，拮据的家庭环境使老党养成了朴实的生活作风，待人也很实在，在她身上看不到半点虚无缥缈的东西，对领导、对战友完全一视同仁。老党在队里年龄最大，入队不久很快就赢得了大家的喜爱，成了队里的核心人物。

同六十三军女排人员的构成非常相像，驻扎在天津的六十六军利用其地利人和的条件从天津市体校招收一批女排队员，同时又从北京部队女排引进了两名主力。这支球队既有初生牛犊不怕虎的精神，又有老运动员在比赛场上的沉稳，她们在比赛中打得很有气势，同时也不失章法。幸亏六十三军女排及时从河北队补充了老党、东东和李丽三名专业队员，加上原甘肃队的冰馨，使上场的主力队员形成“四老带二新”的阵容。六十三军女排姑娘们面对六十六军的猛烈进攻应付自如、从容不迫，双方比分交替上升，局数也是你胜一局，我赢一局，一直打到二比二平。这时坐在主席台上的各位军区首长和场外的观众兴奋异常，啦啦队的叫好声此起彼伏。坐在主席台上的六十三军军长也不时站起身，为他的女排队员加油助威。

第五局从一开局就打得难解难分。进攻一方不断改变战术，在网上寻找一切可能的突破口；防守一方则严防死守，加强网上拦截，同时跑动滚翻拼命救起飞出场外的球，比赛形成胶着状态，每一个球都是你争我夺，一直打到十二平、十三平和十四平，只是在最后两分稍有闪失，才使六十三军女排痛失比赛。看到这个结果，军长把军帽往面前的桌子上一甩，大叫道：“奶奶的，这些小姑娘硬是给老子打出抗美援朝的劲头来了！”说完他不失大将风度地快步走到六十六军军长的身边，热情地伸出双手向他表示祝贺。对方的回答也很豪爽，说：“来，中午咱们两个好好喝两瓶，就用你们山西的汾酒为这些姑娘们庆功！”

同三十八军男排的比赛被安排在开幕式当天的下午。为了争取赢得军区前三名，教练和主力阵容队员伤透了脑筋。林教练

说得一点不错，三十八军男排的确是兵强马壮，这一点从他们主力阵容的配置就可以看得出来。首先两名主攻手分别是前国家队的王颂声和北京队的刘旋，副攻手是天津队的刘建杨和北京队的张靖华，二传是天津队的郭文钰和昆明部队的陈健民。六十三军男排队员对其他那些专业队员不很熟悉，可是这个陈健民他们非常了解。陈健民当年是北京什刹海体校男排的主力队员，和队长王小奕一起带领一五零中学男排多次夺得北京市中学生排球比赛的冠军称号。只是因为超龄，才与一九七三年的那次全国中学生排球比赛失之交臂，转而加入了昆明部队男排。从入队的那一天起，陈健民便从主攻手的位置改打了二传。主攻改二传？这说明他既有进攻能力，也可以有效地组织全队的防守反击。在预赛中三十八军轻而易举地击败六十三军，三比零的战绩表明他们的实力确实雄厚。

面对这样一支强队，要想保证夺得军区比赛的前三名，老郝和宣明认为一定要在总体战略布局上采取“保存实力，避重就轻”的战术，具体地说就是主动放弃同三十八军的比赛，集中力量打好后面的四场，即便其中再有一场闪失，也可完成军首长交付的任务。宣明在准备会上特意举出战国时代“田忌赛马”的例子，说明如何先用次马故意输给对手的好马，然后再用自己的好马和中马分别战胜对方的中马和次马。经过他们两位和主力阵容队员反复商量，教练总算接受了这个方案，但是到领队那里汇报，这个方案却遭到领队全盘否定。领队还是固执地坚持球场犹如战场，两军相遇勇者胜的老套路，说决定胜负的是精神，是指战员的必胜信念，而不是那几个国家队或北京队的退役队员。他尤其强调说："军长就在看台上，你们不使出全部本领好好打，故意输给三十八军，我看你们还能不能回太原！"

领队原以为他最后这句话一定会起到震慑作用，殊不知事与愿违。这些男排队员心里已经对这个人的品性厌恶透顶，普遍萌生了不想再给他卖力的念头。正是由于他昆明冬训期间瞎指挥，才使那么多队员出现身体伤病，而且小文又莫名其妙地挨了记过处分，这给了球兵们巨大的心理打击。冬训结束后领队平白无故地把黄涛、书第和靳华三人挑出来当替罪羊，把他们下放到最艰苦的连队"去锻炼锻炼"，所有这些早已经让这些年轻的队员们感到心灰意冷。

军令如山。教练没有别的办法，只好把已经做好上场准备的第二阵容换下，换上全部主力阵容，包括从军区归来准备当作"秘密武器"使用的主攻手鲁圣。在比赛战术上也按照领队的要求，要"毫无保留地"把在昆明磨炼出来的一套"五一配备"（五名攻手配一位二传）的打法通通亮出来。

在预赛中以零比三的大比分输给了三十八军，六十三军男排毕竟还是取得了五胜一负的战绩。再说这些队员不是没有见过排球国手，在球场上也不是没有和他们打过交道。不要说老郝和宣明他们这些专业队员，就连这些体校来的队员也是如此。在北京体校训练的时候他们经常去北京队进行现场观摩，曾经多次和"平拉开"战术的创始人刘项羽在球场上过招。在这种教学比赛中，他们照样打得有声有色。"有什么了不起的，跟他们干！"

平时四平八稳、慢条斯理的大成这时也下了死拼的决心。

体育竞技是在三个层面上的比拼：第一是身体素质，第二是技术、战术；第三是临场发挥。在身体素质上六十三军男排确实无法同那些前国家队和北京队的队员相比，技术、战术方面也不如他们成熟、老辣，变化多端。至于临场发挥，球兵们倒是也有拼死一搏的劲头，可是不能忘记人家三十八军可不是吃素的，他们是为了赢得军区比赛冠军来的。

比赛开始不久，对方的教练很快就看出了这个“五一配备”的名堂。他断定田地在场上的主要任务是佯攻，设法调开前排拦网队员，为其他队友创造进攻机会。所以三十八军的教练果断要求他的队员放弃田地这个进攻点，宁肯让他得几分，也要全力拦网防守三号位的老郝、小孟和主攻位置上的邹峰、鲁圣。特别是当鲁圣在四号位进攻的时候，三十八军的教练使用“反站位”，把前排的二传手和主攻手的位置对调，让原国家队身高近一米九五的王颂声专门对鲁圣进行拦网堵截，降低他的进攻力度和威胁性。这个临场战术指挥很快就让三十八军赢了第一和第二局的比赛，第三局开始还没有打几个球，看台上的六十三军军长就坐不住了，抬起屁股，一走了之。

休息一天后，六十三军队迎战老对手北京装甲兵。前一天虽然以零比三的比分再次输给三十八军，可是六十三军毕竟在预赛中曾以三比一战胜过北装，因此六十三军男排对这场比赛还是充满信心。输掉一场比赛，军区冠军肯定是没希望了，但是并不影响进入前三名的目标。赛前准备会决定仍然按照迎战三十八军的路数打，主力阵容全上，保持“五一配备”不变。这个方案一定，大家重整旗鼓，摩拳擦掌，准备大干一场。偏偏在这个关键时刻，领队又出来发表了反对意见。

“领队丫真不是个东西，每天坐在车里最后一排，戴着墨镜，悄悄观察每一个人的举动，就像个特务。”鲁圣愤愤地说。在对北装的那场比赛前，领队突然对教练说他看不惯鲁圣“歪戴着军帽的样子”，还说鲁圣有事没事老是和女排那几个河北队的队员“鬼混在一起”，“整天嘻嘻哈哈”，“没有正形儿”，所以他坚决不同意让鲁圣上场参赛，说是要借此机会“给他一点儿颜色看看”。领队这个临时决定，当即让鲁圣恼羞成怒，在准备活动时他气急败坏地故意放了一炮，直接把球扣上了看台，正中一位观众的脑袋。比赛打到第三局，眼看都快结束了，领队才不得不同意把鲁圣换上场。“一上场老郝就跟我急了，连连责问我为什么不上？那他妈能怪我吗？领队不让我上我也没有办法啊！”鲁圣上场的时候整个比赛的形势已经开始走下坡路，他一个人无论怎么努力，也无法挽回整个队伍的败势，结果就这么糊里糊涂地输掉了第二场比赛。

八月是北京的三伏天，排球场上地表温度高达四十二三度，难以忍受，即便是在西山，到了下午气温也还是降不下来。可是会议室里的气氛比外面的温度还要热很多。事到如今，全队上下都清楚地意识到下一场比赛的重要性，更何况二十七军还是保定预赛区的冠军队，实力很强，是一块很难啃的硬骨头。二十七军目前的记录是两战全胜，只要打败了六十三军，他们就基本上可

以确保进入前三名，“全力出击”毫无疑问是他们此次作战的战略指导方针。对六十三军来说，这场比赛的胜负至关重要，这一点连领队也看明白了，在这个成王败寇的关键情势下，他再也不敢轻易发号施令。他心里明白，搞得不好，这次男排可就真的得不到第三名了。果真如此的话他这个领队自然也负有不可推卸的责任。准备会上领队坐在那里就像一尊泥菩萨，双目紧闭、一言不发。其实对二十七军的准备会已经没有什么好开的了。前两场比赛全队已经把所有的本领和招数都使了出来，不论是“秘密武器”还是“五一配备”均无法扭转局面，到现在六十三军只能寄希望于对方，希望二十七军在比赛中出现技术或战术问题，希望在比赛场上他们当中有谁崴了脚或者中了暑，只有对手的水平不能正常发挥，六十三军男排进入前三名才有可能。

人算不如天算。比赛还没有开始，六十三军这一方反倒先出了问题。双方主力阵容进场后，看到对方先发球，而且是逆风背对太阳，小孟一下子就火了，冲着田地大声质问：“怎么搞得你？没有拿到发球权，怎么把好场地也给人家了？蒙啦你？别是老毛病又犯了吧！”小孟这么一吼，田地也傻了眼，站在那儿心里不停地责备自己粗心大意，怎么会挑了这边的场地呢？排球场上面对太阳的一方，会让四号位的主攻手很难看清球在空中的运行轨迹，不易确定准确的击球位置。加上顺风，从背后吹过来的风会使对方发过来的球下降得很快，增加接发球的难度，降低接发球的到位率。一传不到位，那还怎么组织进攻？就算一传到了位，把球也传起来了，可是主攻手迎着太阳怎么能把球扣好呢？

小孟的指责让大家一言不发地看着田地，目光冰冷，表情严峻，没有丝毫的同情。田地这时候脑子里只有一个念头：“这也太他妈糟糕了，干脆一头栽倒在球场上算了。”不幸的是，结局果然如此。比赛一开始就出现了一传不到位，二传无法组织进攻，攻手扣不准球的问题，比赛打得一塌糊涂，六十三军很快输掉了第一局。第二局交换场地后再战，情况也未见起色。俗话说两军相遇勇者胜，这说的是在实力相当的情况下，勇气十足的一方赢得胜利的可能性更大。现在的情况是对手二十七军勇气十足，斗志旺盛，他们心里明白，打掉了六十三，他们就有可能同三十八一决胜负，争取军区比赛的冠军。而此时的田地，作为场上队长，在各种压力下已经是头晕眼花，心力交瘁，双手扶着膝盖，站在网前一个劲儿地喘粗气。看见田地脸色苍白，浑身是汗，衣服已经完全湿透，直往下滴答水，邹峰关切地问：“你怎么出了这么多汗？”

“没事儿，就是头有点儿晕。”田地勉强地回答。

“那就再坚持一下，等这局打完了，休息时多喝点儿冰水。”

邹峰嘱咐完了，心里还在纳闷儿，田地到底出了什么状况，以前从没见过他这个样子啊？可千万要坚持住，否则这场比赛就彻底交代了。这么想着邹峰和田地在网前交换了位置，等他再扭头一看，只见田地两腿一软，就晕倒在球场上了。邹峰赶紧招呼在场外待命的医生进场救护。待判明是心脏出了问题，医生急急忙忙把田地放上担架，转往军区后勤部医院。

太原 五六零团

男女排队员先后出了火车站，立刻就感受到了不同的待遇。李干事先让一名战士把男排领去大卡车，说："你们大伙先去五六零团老地方住下，我把女排安顿好了就来看你们。"然后他转身去招呼女排队员，把她们一一领上一辆大轿车，对司机说了句："去军部招待所。"

一路上李干事对女排这次在军区运动会上的表现赞不绝口，"敢打敢拼""勇猛直前""新老队员配合默契""充分发挥了我们六十三军的光荣传统""打出了当年的威风"，直到冰馨问起来为什么让她们女排单独去住军部招待所，李干事这才收住话题，说这是军长的指示。这次女排打了军区比赛的第二名，非同寻常，要好好犒劳一下女排队员。军长还说，暂时不要让女排回五六零团，"要乘胜利的东风，让女排到六十三军各个师团级单位去打表演赛，鼓舞一下士气，活跃连队生活"。这话听起来和国家女排在夺取五连冠之后，四处宣扬"女排精神"如出一辙，可郎平她们夺冠那是哪年的事情了，足见这位军长的远见卓识。

"那男排他们呢？"何榕小心地询问。

"男排？现在顾不上他们了，才打了一个第五名，真丢人啊！当初他们拍着胸脯跟我保证说，肯定打进前三名，什么前三名？原来是倒数第三名！害得我一个劲儿地给军长解释、道歉，搞不好我还得写检查咧。"李干事连连摇头叹气，"这下好了，运动会结束足球队和篮球队还是回到他们原来的七师和八师，田径队的这次成绩也很不好，已经解散了。男排的命运还很难说呢。不过赵彬这小子倒是因祸得福，在最后两场比赛中发挥出色，终于干掉了六十九军，才没有让我们军垫底。我听说他被军区体工队看中了，很快就要上调喽。”

李干事的话让何榕的心里越发不安起来。自从听说田地心脏病突发，昏倒在球场上，何榕心急如焚，急忙打电话向妈妈求救。很快妈妈从阜成门赶到西郊八大处，大老远地送来谷维素等治疗药物，还有大包的新鲜水果。利用第二天比赛轮空的机会何榕偷偷溜去医院看望田地，亲自给他送上她的关心和问候。因为是心脏病，病人需要静养，多休息，少打扰，何榕就在病房外面的楼道里坐着，用心灵陪伴着田地。医生见她一个人坐在那里不时偷偷地抹眼泪，询问她和病人是什么关系，何榕只好推说“是战友”，然后就匆匆离开了。现在听李干事说男排的命运未卜，何榕在车上真是忧心忡忡，眉头紧锁，这些都被女排队员看在眼里。其实担心男排命运的不仅是何榕一个人，小杰、章婕和小唐子甚至队医小郭也都开始担心起来。她们各自的心上人也都在男排，万一男排真的像李干事说的那样，一下子被解散了，那，那她们可怎么办好呢？

垂头丧气地回到五六零团驻地，男排队员万万没有想到前来迎接的竟然是多日不见的指导员！不仅如此，指导员还特意招呼了体工大队的司务长、炊事班和其他连队的一些战士在营房门前一起列队欢迎。大卡车刚一停下，战士们一拥而上，纷纷从队员手中接过行李和训练器材，热情地带他们入住已经打扫得干干净

净的宿舍，连洗脸水也给打好了，一盆盆整齐地放在房间地上。稍事歇息之后队员们又被战士簇拥着去了食堂。餐厅中间是两张大圆桌，碗筷摆放得整整齐齐，桌子上还有几瓶啤酒和一瓶山西特产——竹叶青。“这都是指导员特意让我给你们准备的。不仅如此，他还亲自动手给杀了一头猪，欢迎你们归来！”司务长高声宣布。

男排队员不喜欢指导员。他们觉得指导员要求太严，不讲情面，在教导队的半年里让球兵们吃尽了苦头。不过同领队比起来，特别是在领教了领队所谓的“领导艺术”之后，闫指导员在大家的心里可以算作是亲人了，眼前这个热烈的欢迎场面就是个很好的例证。这哪里是对待比赛归来的一群残兵败将，这明明是在欢迎威武的胜利之师！见到这一切，队员们一扫过去几天的阴霾情绪，很快进入了状态，痛痛快快地大吃大喝起来。欢声笑语充满了这个简陋的连队食堂，又从敞开的窗户飘散到开阔的训练场上。

闫指导员是一九六一年当的兵。参军前他是初中生，当年的志向是读高中，然后去北京上大学，励志要成为他们村里的第一名大学毕业生。这不仅是他的志向，也是他父亲生前对他们母子二人的遗愿。那是“大跃进”的年代，《人民日报》都说“人有多大胆，地有多高产！”学校停课了，学生们白天跟着父母下地干农活，晚上由物理和化学老师带着在校园里大炼钢铁，几个小高炉把整个村子照得如同白昼。人们累了就在地上打个盹儿，饿了就去食堂随便吃喝，每个人都认为“共产主义就在前面一拐弯的地方，只要再加把子力气，咱们就到啦！”全村男女老少大干了一年，到头来在拐弯的地方没有见到共产主义，倒是看到地里的苗枯黄了，高炉的火熄灭了，食堂里再也没有什么可吃的东西。村里人每天靠喝米汤菜汤过日子，肚子撑得鼓鼓的。那时人人面黄肌瘦，就连城里人，也骑着自行车下乡，到地里捡可以吃的东西。指导员曾经回忆说，他父亲连饿带病就这么死了，那年还不到五十岁。临死前父亲对母亲说，一定要想方设法让孩子继续读书，说是书中自有黄金屋，读了书就不会再挨饿了。可是在那个大饥荒的年代，到处都没有吃的，学校老师没有饭吃，没办法继续教书，学校干脆关了门，让学生回家自学。那一年蒋介石在南边放出话来，说是“要反攻大陆”，海峡这边的解放军连忙扩军备战。指导员的母亲寻思，这部队上有饭吃，有衣穿，而且不是说解放军是所“大学校”嘛？她就让指导员放弃了上高中读大学的志向，就近参加了当年还驻扎在石家庄的六十三军。大概就是因为曾经有过上学读书的愿望，指导员在心底对这些从北京来的中学生排球队员有一种莫名其妙的亲近感，好像觉得离这些球兵们近了，接触多了，似乎自己身上也多少会沾上点儿“书香气”。看见球兵们手中和枕边的那些中外文书籍，指导员仿佛觉得自己又回到了中学时代，背着小书包，带着一天的干粮，走好几里山路去学校读书，数学、物理、化学，直到今天他还依稀记得几个俄文单词，什么“撕八塞八”（谢谢）和“捏死多一”（不客气）。

说起来这些都是十几年前的往事，很多知识指导员已经完全记不清了，在球兵面前闹出一些笑话也是在所难免。在教导队指导员曾经带着球兵们在营房周围植树造林。部队种树和在地方不一样，那树要种得横竖一条线，就像战士们整齐的队列，丝毫不能有一点偏差，否则要通通挖出来重种。指导员在强调了植树造林的重要性后，进一步解释说，植树的具体要求是“横平竖直”，“三点成一线”。指导员话音未落，队伍中就小声议论开了：

“横平竖直，那是书法。”

“什么三点成一线？明明是两点确定一条直线嘛，三点就是一个平面了。”

“三点成一线，他以为是在练习射击呢吧？”

“什么三点一个平面？不在一条直线上的三个点才能确定一个平面，你丫懂不懂？”

队员们的小声议论指导员在上面听得清清楚楚，他没有马上回答。晚饭后回到宿舍，他从床下拉出箱子，翻出珍藏多年的那些中学课本，仔细看过之后，才明白原来他把在部队学的射击原理和初中时学的几何原理搞混了。他脸上一阵阵地发烧，心想，好啊，你们这些新兵蛋子竟敢出我的丑，看我怎么惩治你们这些小知识分子！指导员是个说到做到的人。他严格执行军长的指示，在后来的新兵训练中他对球兵们的要求更加严格，丝毫没有情面可言。球兵们都恨死他了，那种怨恨丝毫不比今天他们对领队的怨恨少。当时球兵们计划要当逃兵，指导员的严厉管教也是起因之一。

指导员毕竟是一名工作多年、经验丰富的政工干部，他在基层连队的工作重点是“要及时抓好活思想”。今天面对这群残兵败将，指导员知道应该如何对待他们，才能减轻他们的心理负担，才能使这些小伙子们重新振作起来，才能让他们尽快以饱满的热情重新投入训练。他特意让司务长准备了这顿丰盛的晚餐，就是他重整旗鼓计划中的第一步。热情的接待立马见效。看见指导员非但没有对他们有丝毫的歧视、埋怨、指责和嘲笑，反而把他们当作凯旋的战士一样来迎接，这让球兵们感动得无以言表。他们捐弃前嫌，纷纷主动走到指导员面前，向他表示感谢，给他敬酒，诉说离别思念之情。然而男排队员们对指导员流露出来的真挚感情，没有逃过领队的眼睛，球兵们对自己的冷落，是明摆着的，这让领队心里非常不快。他看在眼里，记在心上，在餐桌上强装笑颜，照常喝酒吃菜，脑子里却在不停地盘算着下一步如何整治这些“小王八蛋”。

田径队在军区运动会上表现不佳，跨栏和跳高取得的名次都是三甲开外。不仅如此，一名跳高队员竟然借着回京集中训练的机会，不辞而别，当了逃兵。军长盛怒之下把田径队就给解散了。队员来去自由，可以回北京，也可以留下。留下的队员不再是军体工大队队员，通通下连当兵。肖芳被分派在军部直属通讯营，在载波室负责接通军部和各个师团单位的电话联系。在这里当兵也有两个好处，比如离军部近，生活条件比较优越；另外可以利用值班的机会，偷着给父母打免费电话。肖芳在连队最初

的日子过得也还算舒心，唯一令她感到不十分满意的地方就是要晚上站岗放哨。大黑天的，拿一杆半自动步枪，一个人站在角落里，自己都会被自己的呼吸声吓得半死，何况枪里根本没有子弹。“万一有情况，你就大喊，要不然就跟敌人拼刺刀嘛。”排长大大咧咧地说。

自从田地去昆明冬训，肖芳和他保持着频繁的通信联系。每次收到对方的来信，便立即回复，第二天上午一定发出。很快肖芳就保存了一大摞田地的来信，空闲时她喜欢拿出来翻看。田地总是把她当个孩子，总是爱教训她，就像第一次在太原火车站乘大卡车回军部时一样，“你们刚来，不了解部队，千万不要书生气十足了”。肖芳喜欢悄悄地模仿田地的粗嗓音，说完自己哈哈大笑起来，那笑声圆润、悦耳。田地的每封信都是好几页纸，而且是正反面，一点儿不浪费。不过田地的字可是太难认了，整个一天书，比肖芳父亲写的草书还难辨认。男排在比赛中的几次失利，肖芳立刻就知道了，田地在决赛期间晕倒在球场上，可是把肖芳吓了一大跳。后来接到来信说他进了医院，住了几天，现在已经出院，和全体男排队员一起回到了太原，仍然住在五六零团，肖芳这才彻底放下心来。

男排听候发落，不再训练。整天无所事事，闲得无聊，弹琴唱歌下棋，看书的看书，画画儿的画画儿。宣明拿铁丝弯弹弓子，带着几个人四处去打鸟；老郝和剩下的人扛着竹竿儿去河里钓鱼，美其名曰“改善生活”；日子过得倒也轻松自在。每逢周日，男排队员就结伴去逛太原城，在迎泽公园划船或者到柳巷去压马路。每次他们去太原都要路过军部，肖芳吃过早饭就在路边等着，“远远地就看见一群大高个儿，晃晃悠悠地走过来，穿着军装歪戴着帽子，嘻嘻哈哈，说说笑笑，根本没有一点儿当兵的味道”。肖芳和男排队员一起走着走着其他人就走到前面去了，剩下她和田地慢慢地走在后面。每到这时候田地就又开始教育肖芳，给她讲最近看到的文章和读过的书。“他是真喜欢雨果的《九三年》，尤其是书中的那个王党贵族朗德纳克侯爵，简直就是他心中崇拜的偶像。”肖芳说田地可以大段大段地背诵书中的主要情节，如侯爵乘坐军舰在途中遇到风暴，一门没有牢靠固定的大炮像一头怪兽在船舱里横冲直撞，“那一万多斤的炮身能像豹子一样地跳跃，它有大象的体重却像老鼠一样敏捷，有斧子般的坚硬又像海浪一样出其不意，有闪电般的速度又如同坟墓对外界充耳不闻”。此时此刻朗德纳克临危不惧，出其不意地制止了那头疯狂的怪物，亲手救出了要以死相拼的炮长，赢得全体船员一片欢呼。接下来朗德纳克首先代表国王授予肇事的炮长一枚圣路易十字勋章，表彰他的勇敢；随即又当着全体水兵的面宣布把炮长处以死刑，立即执行，以惩戒他的严重失职。“田地在那里慷慨激昂地描述当时船上的场面，就好像他亲眼所见一样。声音高亢，感情深沉，语气抑扬顿挫，说到动情之处，双眼饱含热泪，非常富有感染力。大概就是在那个时候，我就被他彻底迷住了，直到今天。”说完，肖芳羞怯地用双手捂住了微微泛红的脸。

在一八七、一八八和一八九师的防区打表演赛，一路下来就

花了一个多月的时间。女排队员所到之处无不受到各个师团级单位的热烈欢迎和热情接待。六十三军的战士以农村兵为主，很多人根本就没有听说过排球比赛，更没有见过“女娃子”打排球。看到场上这些姑娘脱得就剩背心短裤，战士们那股子兴奋劲可想而知。他们欢呼、雀跃，大声地为女排队员叫好，直到把嗓子喊哑为止。这种兴奋之情在女排队员离去后好几天都消散不去，就像他们在农村过大年，看县上的剧团来乡下巡回演出一样。全体村民扶老携幼争相观看，一边看一边叫好。演出结束了，一定还要美美地吃上一顿。吃好喝好之后，人们还是久久不肯散去，站在那里回味无穷。

在一八九师五六五团的繁峙驻地女排队员意外地见到了黄涛、书第和靳华他们三位男排队员。这是他们三人被领队下放到连队后初次同排球队员见面，大家分外亲热，有说不完的话题，正如俗话说的“老乡见老乡，两眼泪汪汪”。见此情形带队的李干事也不加干涉，让他们痛痛快快地聊个够，然后还邀请他们三人和女排一起吃了晚饭。席间这三位男排队员不自觉地又摆出老大哥的样子，东拉西扯地把连队的训练和生活详详细细地给女排队员讲述了一番，听说书第在军事三项比赛中接连打破团里和师里的记录而被授予三等功，大家都为他欢呼，向他祝酒。听到黄涛在野营拉练途中睡老乡家的热炕头，不慎把棉裤烧着了，差点儿受到处分，女排队员们又都唏嘘不已。

何榕的心思根本不在这上面。一路上她不断向李干事打听男排的消息。听说女排在巡回表演赛结束后很有可能再次前往云南训练，而男排，还有刚刚结束比赛归来的游泳队和乒乓球队，很有可能被解散。这消息让她十分不安，她一定要设法在去昆明之前再见田地一面，哪怕是几分钟也好。这次见面她决心要把埋藏在心底的话对田地和盘托出。虽然现在她还不十分清楚到底要说什么，也不知道应该怎么说，但是她一定要说。她要告诉田地她对他身体的担心，她要告诉田地每天坚持吃药，她要他好好休息，她要田地不再参加任何剧烈的训练，她要他听她的话。如果她还有足够的勇气，她也要让田地知道她对他的思念，甚至她对他的感情，那种在这个年龄段姑娘特有的感情。想到这里何榕忽然觉得脸上发热，她在心里狠狠地骂了田地一句："嘿，臭美吧你。"

最后的晚餐

经过讨论，六十三军党委一致决定并报请北京军区批准：一，撤销六十三军体工大队的建制；二，保留男足、男篮和女排三支运动队，并入师级直属队；三，解散田径队、游泳队、乒乓球队和男子排球队，原则上队员全部复员。最后，军党委会还特别给女排做出一项决定：鉴于女子排球队在军区运动会上的出色表现，特例批准女排再次前往昆明进行排球训练。

体工大队的散伙饭定在十月一日国庆假期。那天部队照例是开两顿饭。下午到了开饭时间，乒乓球队，游泳队和男排的队员们早早地换好了干净的军装，在餐厅外面排队集合。餐厅里张灯

结彩、喜气洋洋，看上去不像个欢送宴会，倒像是一个庆功会。每个运动队分到两张大圆桌，中间摆满了冷盘热菜、白酒和啤酒，看上去这是一醉方休的架势。大家正琢磨着为什么还不下达“开饭”的命令，一辆大轿车突然停在了餐厅门口，女排队员春风得意、飘飘然地走了下来。自从到北京备战军区运动会以后，各个运动队就再没有见面的机会，原本熟悉的队员也不再联系，全都集中精力准备比赛。女排队员突然现身自然给了大家一个叙旧、说笑和弹唱的机会。

李干事首先代表军首长讲了几句冠冕堂皇的致辞，杯盘碗筷交响曲顿时响遍食堂。席间各队队员主动表演起山东快书、山西梆子、独唱、独奏、独舞、集体舞等，可谓是异彩纷呈。女排队员的小合唱《深深的海洋》受到大家的热烈欢迎，接着她们又唱了《喀秋莎》和《三套车》。欢乐的节目精彩纷呈，一个接着一个。气氛热烈，酒菜下去得也快。不久就看到有人往厕所跑，吐完了回来接着吃、接着喝，根本没有人在意谁在这时候说什么、干什么。

男排队员的桌子上也是杯盘狼藉，一箱啤酒早就喝光，两瓶白酒也干了。还是邹峰面子大，跑进厨房找到司务长，又拎来两瓶白酒，打开瓶盖就给大家满上，一边倒还一边口齿不清不清地说：“哥儿几个好好喝吧，今朝有酒今朝醉，明天咱们就要开开啦！”在一片“干”“干”的叫喊声中，马志突然冒出一句：“X，这马上就开拔了，田地你丫还不老实，害得我们一夜没睡觉，跑到高粱地里去找你和肖芳，这也太不够意思了吧？”

“我当时就觉得马志这句话说得不太对劲儿，可是还没等我说他，田地就已经急了。”赵彬说。

只听“啪”的一声，田地把手中的酒杯往桌子上一拍，破口大骂，“X你妈的！我他妈要你去找我了吗？你丫装什么孙子？有本事你找领队说去啊？我去找肖芳道别，这有什么错吗？有什么不对的地方吗？你说啊？你他妈的怎么不说话了？！”田地越说越有气，声音越来越高，说着说着忽然觉得自己非常委屈，眼泪就流了下来，“我们俩人在一起聊天，连手都没有握过一下，我有什么作风问题？凭什么要处分我啊？！”

“谁说要处分你了？没有的事，别听人瞎说！”小孟搂着田地的肩膀连忙劝解。

“梁歌说的！他代表团支部找我正式谈的话。”

听了田地的话，大家一起扭头看着梁歌。梁歌坐在那里支支吾吾，半天才说出一句：“是领队让我找他谈话的，这能怪我吗？”

男排队员的情绪顿时变得激愤起来，觉得这样随意处分人实在太不公平。明明就是一次简单的外出没有请假，归队的时间晚了个把小时，怎么就能随随便便地给人处分呢？更何况体工大队马上就要解散了，大家都要复员，万一真要是背个处分回去，这以后回到地方还怎么找工作呢？

“领队到底是怎么跟你说的啊，梁歌？”

“邹峰，你应该找指导员说说，这至于吗这个？”

“我看说了也白说，肯定是领队捣的鬼，先是处分了小文，

后来又把黄涛他们三个下放到团里，现在又来整田地，回到原平还不知道丫又要整谁呢！”

“当兵三年算是白干了，临了还给了这么一手，真他妈操蛋！”

“早知道是这个结果，当初还不如在高炮营一走了之！”

男排桌子上的吵闹声惊动了不远处的女排队员。队里有耳朵尖消息灵通的，就在那里小声议论，说这次男排不仅要被解散，很可能还要给田地处分，如何如何。何榕在一旁听到了大吃一惊，连忙追问是怎么回事。刚才还你一言我一语地叨叨昨天晚上发生的事情，现在何榕这么一问，桌上反倒没有人敢说话了。眼见大家在那里装聋作哑，何榕顿时急了眼，跺着脚大声问：“到底田地出了什么事情？凭什么要给他处分？你们倒是说话啊？！”眼见还是没有人敢吱声，队医小郭就站了出来，把她从老郝那里听来的故事给何榕复述了一遍。

原来田地和肖芳约好了要在“十一”白天再见一面，可是前一天晚上突然通知说，“十一”那天早饭后指导员和领队要召集大家开会，安排节后回原平的事情，接下来梁歌又通知说团支部也要开个会，讨论一下复员期间如何做好思想工作问题。田地一听这个安排就有点儿沉不住气了，他是一定要在回原平之前和肖芳最后再见一面，算是临行前的道别。眼看这些临时的安排把“十一”白天的时间都占满了，只有晚上有空，田地就大着胆子偷偷给军部通讯营打了电话。幸好值班的女兵通情达理，直接把电话转给了肖芳。他们二人约好在肖芳当天晚上下班后到军部和五六零团之间的小树林里见面。

下班后肖芳跟谁也没说，就直接去小树林等田地，而田地呢，在熄灯号响过之后只和同屋的队友说了声“我睡不着，出去走走”，就悄悄溜出了营房。计划得再周密也有出纰漏的时候。那天晚上正好赶上军部安排各直属队突击检查国庆节前营房安全落实情况，排长进宿舍一看肖芳不见了，就四处查寻。那个传话的女兵只好从实招来，说肖芳跟排球队的一个男的通过电话。这下可好，排长一个电话就打到体工大队，找到男排领队后，气呼呼地告诉他：“你们男排的人好大胆子，大半夜的把我们通讯营的女兵给拐走了。现在我们排的战士都已经出动搜寻了，万一出了问题不仅你要负责，而且我还要报告军长！”领队一听这还了得，他连忙向这位排长保证他肯定会把人找回来。放下电话，他一声令下，男排全体队员紧急集合，通通出去寻找田地和通讯营的女兵肖芳，“找不着人，就别回来睡觉！”男排队员老大不情愿地在营区周围转了大半夜，连两个人的影子也没有看见，只好回宿舍睡觉，可是等他们进门一看，田地已经躺在他的床上睡着了。“大概的经过好像就是这样。”小郭轻声地说。

“那田地大半夜找肖芳干什么去了？”何榕大声追问。见她问这个，女排队员更不敢多嘴了。

“当时田地跟肖芳搞对象是人人皆知的事情，不知道为什么唯独何榕一直被蒙在鼓里，所以散伙宴会那天她才喝得大醉。当时我们女排队员都觉得田地在男排里是个核心人物，不仅球打得好，组织能力强，担任场上队长，他还一表人才，风流倜傥，属

于言语上和行动上都颇有女人缘的那种人。在女排里有几个人对他倾心，可是都退避三舍，不敢高攀。更具体的我就不能再说了。哎，你可千万别说这是我说的啊！”一名女排队员小心叮嘱。

直到这个时候何榕才突然明白了一切。原来她日思夜想的那个男人居然和她同班同学、好朋友、好姐妹、好战友是……是那种关系，而且还在大夜里一起去了小树林！何榕顿时觉得心如刀绞、痛苦万分。她一时还顾不上肖芳，可是她此刻痛恨田地，她觉得田地做的这件事情是对她的背叛。对，田地背叛了她，背叛了她的感情，背叛了他们之间的友谊。不仅如此，田地还侮辱了她，侮辱了她的人格，让她从此没脸再面对其他女排队员，让她此时此刻感到无地自容。何榕的心里一团乱麻，脑子不能进行任何思考。她觉得她应该做些什么，她必须要做些什么，才能出了她心头的这口恶气！

何榕的脸涨得通红，呼吸急促、沉重，酒劲儿加上内心的痛苦让她不顾一切地再次举起酒杯，一口气把一大杯白酒都喝了下去。接着在众目睽睽之下，她又给自己的酒杯倒满，然后气势汹汹地往男排那边走了过去。

透过满眼的泪水，田地看见何榕举着酒杯朝他这边走了过来，可是还没有等他站起身来，何榕突然一下子把那杯白酒全都泼在了田地的脸上，接着撕心裂肺地大喊一声：“田地，你他妈的给我洗袜子！”说完一下子瘫软在地上，失声痛哭起来……

第八章

将革命进行到底

“消肿”

男排队员们一直以为体工大队被解散是因为各个运动队在军区运动会上表现不佳，他们被复员回家是因为在运动会上打了倒数第三名，没有兑现保证进入前三名的承诺。当时他们不知道也不可能知道在决定解散体工大队、让他们复员的命令背后其实是有人正在布局，在布一个很大的局。在这个局中，他们十几个人的排球队、六十三军体工大队，甚至更大的师团级单位都完全不在这个人的考虑之中。

自新中国成立到八十年代中期，中国人民解放军进行过多次精简整编。特别是从邓小平一九七五年复出、担任总参谋长和军委副主席至一九八五年的十年时间里，军队连续进行了四次大规模的体制编制调整和精简整编。为此中央军委曾在一九七五年六七月间召开过一次扩大会议，这也是“文革”十年间召开的唯一一次军委扩大会议。会上邓小平以《军队整顿的任务》为

题发表讲话，明确指出军队整顿的任务就是要整顿军队目前存在的“肿、散、骄、奢、惰”问题。解放军自一九六九年中苏珍宝岛之战后，经过近十年的“备战备荒”，总兵员达到空前的六百一十万人，邓小平说的军队要“消肿”就是要解决军队的编制问题。但是这次整编由于邓小平本人再次被打倒而被迫中断，原本要压缩的任务没有完成。一九七七年邓小平再次恢复职务后，军队立刻重新启动“消肿”工作，军委要求各级单位严格执行编制，绝对不许超编。但是这次精简整编又由于一九七九年二月开始的对越自卫反击战而暂时停止，部队非但没有精简，反而经战时扩编增加到了六百万人。

要裁掉这么多的军队，撤销大批机关，部队内部当然有反对派，他们认为解放军哪怕是在平时，还是需要保持一个比较大的基数才能完成打仗的任务，对此邓小平的回复异常简短：“虚胖子能打仗吗？”

邓小平和中央军委所说的“消肿”，具体落实到基层连队干部和战士的身上其实就是“转业”和“复员”。复员是让战士哪儿来的回哪儿去，转业是给连排级以上的干部和他们的家属在地方上安排适当的工作和生活，包括小孩子上学。自中国人民解放军创建到八十年代，部队战士和干部的基本构成大都是农民。从农村到了部队他们就不用再干农活，每天有饱饭吃，四季有衣服穿，还可以学点儿文化，特别是那些当上技术兵的还可以掌握一技之长，如驾驶解放牌大卡车。在部队干了几年，这些农村来的小伙子大都不愿意再回到农村去，更不要说再让他们下地干农活了。他们在部队大都积极表现，努力上进，希望在一两年之内混个班长、班副干干，然后再接再厉，争取提拔成排级干部，换上四个兜的军装，拿上固定的薪金。如果能混得更好一点儿，就可以把老婆孩子接到部队来，成为“随军家属”，彻底脱离农村而一跃成为“城里人”。

可是军委的裁军令一到，所有这一切即刻变成黄粱一梦，失望的情绪在基层干部和战士中间蔓延开来，不满情绪在增长，老兵抗拒指挥的现象普遍存在，恶性暴力事件也时有发生。在复员的节骨眼儿上，平日和战士关系不好的干部早早地就被安排回家探亲，免得遭到怀恨在心的战士报复。值得庆幸的是排球队除了那一大兜子皮球之外，根本就没有枪支和手榴弹，他们的复员过程就相对安全、简单，也平和得多。老郝详细地记录了当年六十三军男排复员的经过，他在日记中这样写道：

一九七八年一月二十一日：在原平照相馆拍了集体照，这是我们排球队头一回，大概也是最后一次了。

一月二十二日：下午一八九师排球队吃了“散伙饭”，田地借着酒兴狠狠地亲吻了张领队的光头！同日赵彬接到调令，二十五日到军区体工队男排二队报到。为他高兴，祝贺！

一月二十三日：上午十点四十分男排全体队员在原平上火车，中午到达繁峙的五六五团，被分配到三营九连。我和邹峰、马志、小孟分在一个班，睡大通铺，幸好没有睡在一个被窝里。

二月十日：下午指导员从原平来繁峙，召集男排全队开会，正式通知大家“排球队员的关系已经下到五六五团，之所以要下

到五六五团是因为五六五团向师里打了报告，主动提出要你们各位来这里当兵”。这是为啥?

二月二十日：下到连队已经整整一个月了。今天军务股来人征求大家意见，是否愿意复员，结果全体队员都要求复员！没想到下午就得到了批准复员的命令，全体队员欢呼雀跃。

三月四日：正式通知小文暂不复员。田地、晓伟和我们几个人先回到原平，大家一起在师部聚会，好高兴！晚上住招待所。

三月十三日：晓伟回北京。

三月十四日：靳华回北京。

三月十七日：鲁圣、小孟等队友们直接从繁峙乘京原线火车回北京了。

三月二十八日：大成是最后一个从原平回北京的，我去车站送他，从此我们五二九四二部队（九师的番号）排球队已经成为历史了！

“宣明和我正好赶上了大裁军，没人管我们。等这帮北京兵都复员回北京以后，我俩在师部招待所又住了小半年，直到八月份才转业回到地方。”老郝补充说。

入党

战士在复员之前还有一件事需要解决，这是一件直接关系今后前途的大事。

自建军初期解放军就有个传统，叫作“支部建在连上”。在这个百十号人的基层单位里，连长通常担任党支部的副书记，其他几位排长是支部成员，而党支部书记则是由指导员担任。

“梁歌已经找你谈过话了吧？”闫指导员冷冷地问。

“谈了。”田地小声回答。

“谈过以后，你有什么想法吗？”

“有。我觉得冤枉，我……”

“冤枉？你冤枉什么？我们在哪里冤枉你了，嗯？！”指导员突然提高了声音，“你事先不请假，半夜私自离开营房这是冤枉你吗？你把通讯营的女兵叫到野地里去，害得人家一个排出来找人，这是冤枉你吗？你半夜一个人出去寻欢作乐，让你的队友四处搜寻，这也是冤枉你吗？据说人家女排的何榕对你真情实意，你可好，脚踏两只船，这边挎着一个那边又去找别人，我们这是冤枉你了吗？”田地刚要解释，立刻被指导员打断，“你先不要说话。我再问你，上次让你负责购买全队的火车票，售票员多找了钱，你不主动退还，结果铁路上的人追到火车上来，这肯定不是冤枉你吧？多找了你那么多钱，当时你怎么可能看不出来呢？要不是人家看你是个解放军，面相也还算老实，钱也没少，就算了，要不然还不扭送你去公安局？难道这也是冤枉你吗？！我看这次复员不给你个处分就不错了！”

在基层连队指导员的本职工作是抓好战士的政治思想工作，培养良好的生活作风。闫指导员对战士一向严格要求，不管是政治上的大事还是所谓的“生活小事”，从不马虎。不过严格归严格，指导员平日很少发脾气，他认为发脾气没有用，解决不了思

想问题。发脾气只是把问题暂时压了下去，挖不出问题的思想根源。可今天不一样，指导员是真动了肝火。眼见这么一个好好的大小伙子，一个挺聪明的人，家庭出身也好，在部队三年的表现也不错，竟然在最后这几天犯下这种偷鸡摸狗的低级错误！他简直不敢相信自己的耳朵，更不敢相信他的眼睛。干了这么多年思想政治工作，难道他这次真看错了人？！想到这里指导员气得一时说不出话来，只是坐在那里狠狠地盯着田地，一动不动。

房间里的气氛就像墓地，死一般的沉寂，没有丝毫的响动，唯一的声音就是指导员沉重的呼吸。对田地来说，这种沉静就像炸雷，震得脑子“嗡嗡”作响，惊得他不敢再吱一声，生怕再说错一句话：那他的下场肯定就同小文一样。过了好一会儿指导员才又问，“听队员们反映你周末经常独自离开营区，去原平县城的一个什么高叔叔家吃饭，回来总是满身酒气，这又是怎么回事啊？”

田地赶紧出了一口大气，连忙解释说，高叔叔原本是广播局的干部，他们一家人也是他家在三零二宿舍的邻居。六十年代中期，也就是“文革”前，高叔叔被下放到原平机械厂当书记，他一家五口人也跟着来了。牛阿姨在原平物资站工作，大儿子和小妹都是工人，大妹妹是技校的老师。“他们听说我在原平当兵，就经常叫我过去吃饭，改善一下生活，不过也不是每个星期天都去。”

田地所说的这个情况和指导员本人了解到的基本一致，指导员轻轻地点了一下头，心想田地还是个老实人，不会撒谎。干的那些偷鸡摸狗的事，应该还是属于一时的糊涂，或者是年轻人的一时冲动。不过田地最后那句“不是每个星期天都去”触动了指导员心里某个敏感的地方，他马上接过话题说：“幸亏你不是每个星期天都去，要是每个星期天都去，你这么个大小伙子还不把人家的粮食都吃光了啊？我问你，你知道当地居民每个月每人有多少粮、几斤肉、几两油吗？”看到田地愣在那里不回答，指导员又提高了嗓音说，“原平县城的居民每个人的粮食定量是二十八斤，里面只有百分之十五的细粮，也就是每个月只有四斤多一点儿的大米或者白面，其他的都是玉米面和高粱。他们一个月每人才二两肉、三两油，而且还是胡麻油。给你这么一吃，人家五口人还怎么过？他们还不得一年到头吃粗粮，吃白水煮萝卜啊？”

听到指导员的质问，田地赶紧小声答复说，每次他从外地训练比赛回来路过北京，妈妈都会给高叔叔家带些吃的东西，挂面、粉丝、芝麻酱，“好像还带过碱什么的”。说完他偷看了一眼指导员，他脸上紧绷着的肌肉似乎松弛了一点。

当天下午召开的排球队临时党支部会开得非常不顺利。会议上只有发展新党员这么一项议程，可是发展会从下午一直开到了晚上，几个支部委员连晚饭都没有时间吃。

会议一开始阎指导员正式向临时支部建议发展梁歌和田地入党，理由是他们二人家庭出身好，平时训练刻苦努力，在比赛中敢打敢拼。尤其是田地，身为场上队长，过去三年来为排球队的

建立和管理做出了突出贡献。此外，他们二人学习态度认真。梁歌刻苦攻读《资本论》等马列主义原著，做了大量读书笔记。田地在平时的学习讨论会上积极发言，敢于敞开自己的思想，联系实际问题，很有理论水平。最后，他们二人对党有深厚的阶级感情。在周总理去世当天，梁歌痛哭流涕，因为他父母曾经在国务院机要局工作，负责给国家领导人分派机要秘书，同总理有密切的接触。田地在毛主席去世后，特地写信给他原来所在中学排球队的队长，请他在参加天安门广场追悼会的时候也替他带上一朵小白花，寄托哀思。梁歌和田地他们两人在毛主席去世后的紧急战备时期，都配发了枪支弹药，每天一早起来就手持钢枪，坐在打好的背包上面，一连几周准备随时出发去北方前线。他们两人还在排球队带头写了“请战书”，表明誓死保卫祖国的决心。

对这两个人的提名，张领队坚决不同意。他反对说，梁歌不是主力队员，不论是在对山西省队的比赛还是在军区运动会上几乎都没有上场，更谈不上什么敢打敢拼、做出了突出贡献。在昆明冬训期间，梁歌借口腿部肌肉拉伤，小病大养，不参加训练。他还利用在医院养病的机会，找了个什么“大姐”，对这样严重的生活作风问题建议支部进行调查。田地更是在军区运动会上表现很差，完全没有起到场上队长的作用，对二十七军的那场比赛，就是最好的证明。要不是因为他临场出了那么多问题，我们也不会丢掉前三名！最后他昏倒在比赛场上，这本身就说明他平时训练量不够大，偷工减料，一直在偷懒。另外，田地的生活作风有严重的问题。半夜擅自离开营区去找女朋友鬼混，同时还和另一位女排队员拉拉扯扯，将来说不定就是个陈世美式的人物。再有，他利用替排球队买火车票的机会乘机贪污多找的票款，所有这些问题支部都应该彻底查清，责令本人做出深刻检讨，同时考虑给予严重警告处分。

在提出他的反对意见后，领队同时建议支部发展晓伟入党。说晓伟虽然身体有严重病症，仍然坚持训练，在身患肾炎不得不从主力阵容退下来之后，努力配合领导工作，积极向领导反映队员当中的“活思想”，协助领导管理球队的日常工作。此外，晓伟的父亲是一机部办公厅的干部，经常写信来鼓励晓伟要树立扎根部队的信念，保家卫国。“这绝不是道听途说，晓伟的这些家信我都亲眼看过。”

听了领队的发言，指导员当即反驳，说晓伟身体有病，你说他能坚持训练，难道梁歌就没有带病坚持训练吗？你说田地平时训练偷懒，你知道他有先天心脏病吗？根据军区后勤部医院的记录，犯病当天田地的心跳超过了每分钟两百次，医院大夫说他随时都有死在场上的可能，但是他有向你我提到过这个病吗？他有向教练或者任何队员说过这个情况吗？梁歌住院期间称照顾他的护士为“大姐”，这有什么不对呢？难道你不知道解放战争年代我军的战士管梁山的农村妇女叫“大嫂”吗？不知道我军赴朝参战的志愿军战士管朝鲜族妇女叫“阿妈妮”（大娘）吗？田地没有将多找的钱及时退回给人家是有问题，但是经过铁路公安人员的核对，那些多找的钱一分不少。不仅如此，我还命令司务长亲

自检查了球队历次冬训和外出比赛的账目，凡是由田地经手的账目也没有一笔错账，这难道还不能说明问题吗？你身为领队，不抓大事，不看战士的本质和多年的表现，却在这些表面的枝节问题上纠缠不清，我看你这是对我们革命战士今后的人生道路持一种极其不负责任的态度！

指导员和领队二人在会上你来我往、争执不休，一个发展会成了你说你的，我说我的，谁也不听谁的，最后还动气、拍了桌子。在会上司务长作为支部成员，持一个不置可否的态度。他觉得这三位都是你们排球队的兵，你们对申请人的情况最了解，你们最后决定了怎么办那就怎么办，和我没有什么关系。邹峰一九七六年年底在原平入党，是一名入党才一年多的新党员，这也是第一次参加党支部的党员发展会，他从未见过这个架势。被提名入党的三个人都是他多年共同奋战的队友，在发言中他明确表示，这三个人都有突出的优点和某些缺点，他们都已经基本符合党员标准。更何况从现在起入党后有一年的预备期，将来出了问题，完全可以不予转正。因此不管支部今天决定发展谁，他都会投赞成票。眼看就到熄灯时间了，临时支部最后不得不一致决议，把此次党员发展会的过程，以文字记录的形式，报上一级党委，请党委做出最后的决定。

老郝的日记对后来的结果做了这样的记录："今天（二月二十七日）九师文化科长亲自来繁峙召集排球队开会，宣布了两项重大决定。第一，正式免去小文的记过处分，不在档案中存留任何记录；第二，正式批准梁歌和晓伟两位队员入党，即日起成为中共党员，预备期一年。晚上会餐庆祝！”

不散的宴席

何榕用胳膊拱他几下，田地才意识到他刚才一直在盯着晓伟和小杰发愣。“你这是触景生情了吧？”何榕问道。

“我说你怎么这么精啊，什么都瞒不过你们这些干税务的。听说你干得不错啊，在税务局负责王府井一带大公司的税务，每天在东方广场上班，冬暖夏凉、吃香喝辣，还有无数的外快……”

“得得得，打住！这是谁在跟你造我的谣啊，简直是胡扯！我一个复员大头兵，没有高学历，硬是在税务局里混，你说有多难吧。”何榕说她一开始对税收业务不熟悉，每天要上十多个小时的班，下了班还要赶紧去夜校补习，一上就是五六年，风雨无阻。毕业后总算当上了科长，可是王府井那地方的税收不好干。“税收不足，领导批评；缴税催得急了，那些大公司老板个个通天，一个电话就打到我们领导的手机上。你说这活儿让人怎么干？想起来就有气。来，喝酒。”说完一口干了。

“酒量见长啊！”

“你什么意思啊？”何榕明知故问。

“那天晚上后来你怎么样了？”田地小心轻声地问。他脸上表情认真，语气也轻松，心里可是有些紧张，不知道何榕如何反应，不知道这个问题是否会触动她内心深处的那个情结。据

说记忆深刻的事情总会在心里留下一个情结、一个“死疙瘩”。不论时间过去多久，只要碰到这个情结，就能立刻把似乎已经遗忘的事情重新唤醒。这些被唤醒的记忆会造成什么后果，事先完全无法预测。它可以是激烈的，甚至是暴躁的，也可能是平和的、愉悦的。田地显然希望它是后者，心里惴惴不安地望着何榕。

“我就知道你会问这个。”何榕轻声地回答。她眼睛望着空空的酒杯，坐在那里好像在回忆，也好像在调整心情，过了一会儿才又接着说，“其实也没什么大事，就是喝高了呗。第二天郭指导非常不高兴，脸拉得特长，都快掉地上了。以后好几天都不理我。再后来你们男排回了原平，我们女排又去了云南，训练一开始那事儿也就过去了。就算是时过境迁吧。”何榕的脸上没有任何表情，她的语气平缓，好像在讲述一件与她无关的事情。

田地完全不知道何榕会如何回答他的问题，所以何榕的任何答复都出乎他的预料。田地曾经咨询过心理医生，大夫说过去经受过的刺激、对刺激的记忆和刺激所产生的情绪是三个完全不同的实体。 刺激已经远去，记忆变得模糊，情绪不断转移，最后留下的是对那个刺激不完整的、破碎的回忆。唯一可能再次体验过去经受过的刺激，只有通过梦境。只有在梦里那些一直被压制的、对刺激的直接记忆和情绪才会从层层枷锁之下挣脱出来，尽可能地以本来的面貌呈现给本人，让你从睡梦中突然惊醒，吓得一身冷汗，心脏嗵嗵地跳个不停。幸好这种对刺激的重新体验很快就会过去，过去之后又会复归平静，那个刺激再次被关进层层枷锁之中，当事人又可以继续正常地生活，不再受那个刺激的影响，否则就会不断地被噩梦打扰，以至于无法正常生活。何榕看上去不属于后一种情况。她努力学习，专心工作，生活安定，这让田地觉得放心很多。于是他举起酒杯轻轻地在何榕面前的空杯子上碰了一下，喝了一口说："那你还好，我差点儿挨了处分。"

田地说第二天领队曾经找他谈过话，那口气就像他有非常严重的生活作风问题，一定要让他说出那天晚上到底在野地里都干了些什么，要交代全部细节，还说交代得越清楚越彻底，才能和过去的错误划清界限，才能开始痛改前非。"其实我们什么也没干，我们俩愣是坐那儿聊了一晚上天儿。我坐得离她那么近，风一吹，她的头发恨不得可以飘到我的脸上，可是我连她的手都没碰一下，真的。"

"那你们俩都聊什么，干坐了一晚上？"何榕问得从容不迫，心里却很想知道他和肖芳之间那天晚上到底发生了什么。

"人生！'侃人生'，照现在的说法。还能聊什么，那会儿？读过的书，见过的人，做过的事。还有心得体会，理想抱负，祖国的前途，人类的希望。瞎聊呗。"

"那可是有点儿委屈你了。"何榕相信田地说的是实话。她本能地觉得田地这个人不会骗人，尤其不会骗她，至少不会在这件事情上骗她。何况她后来从肖芳那里听到的也是同样的解释，不过肖芳的解释更具体，有更多的细节，不像他说得这么"粗线

条”。“男人大概都是这样。”何榕这样想。何榕信任田地，过去在部队是这样，三十年后现在仍然是这样。“他骗我干吗？八竿子都打不着了。”想到这里何榕的心中有种释然的感觉，一种轻松，就像一阵清风忽地吹进了她的心里，带走了那些封存多年的各种令人不快的思绪。又好像是打开一扇窗户，阳光照射了进来，心里亮堂了。

“就是嘛。现在一想，还不如当初就把‘事儿’办了呢。”

“德行！你们男兵满脑子净是歪门邪道，出息！”

嘴上这么说，何榕心里还是觉得田地这个人还真是不错。大半夜的一对青年男女藏在小树林里，一个如花似玉，一个体壮如牛，同是青春年华，两人厮守一处，居然相安无事。这要放在今天大概没有一个人会相信这是真的，可是何榕相信。

“后来你们又联系上了？”何榕仍然是不紧不慢地问。

田地回答说他上大学后有一天在西单大街上碰上了肖芳。肖芳说她也复员了，正在一五零中一边复读高中，一边复习功课，准备高考。“她给我留了电话号码，约好高考过后的第一个礼拜天在北海后门见面。”

“那你肯定去了吧？”

“那天我早早地就去了！左等不来，右等不来，后来我都要走了，才看见肖芳来了。人还是那么，那么，出众，大老远的，一眼就能认出来。不过她身后还跟着一个人。”

“谁，她妈吧？”何榕好奇地问。

“不是，是个男的。”

“男的？那就是她爸。”

“不是，比她爸可年轻多了。再猜。”

“比她爸年轻？难道是她的男朋友？”何榕狐疑地问。

“真要是她男朋友，那我们还不早就打起来了？是她弟弟！”田地一个字一个字地说。

何榕立刻哈哈大笑起来，眼泪几乎都流下来了。她忙用手捂住嘴巴，另一只手不停地摇动，含糊不清地说：“对不起，对不起。”过了好一会儿，才喘过气来，说，“太逗了她。”

“你说这叫什么事儿啊！”

“什么叫‘什么事儿’？这说明我们肖芳为人单纯、正派，不像你，满肚子花花肠子。”何榕当初可不是这样想肖芳的。自从“十一”聚会那天晚上得知肖芳和田地在夜里幽会，她就恨死了肖芳。当年的同学、现在的战友，两人在一起无话不谈，可肖芳你怎么就没有告诉我一声你喜欢田地呢？你是田径队的，不在那里好好练跳高，跑到我们排球队来瞎搅和什么呢？难道这世界上没有别人了，非要追我看中的田地吗？我不是早就告诉过你，我很喜欢田地，很喜欢和他一起训练，特别是一起练习二传吗？那白色的排球在我们手上传来传去，就像是在穿针引线，把我们联系在一起。可你肖芳从中插一腿干吗？你这到底是唱的哪一出啊？何榕越想越生气，发誓以后再也不理肖芳了。后来肖芳给她写信、打电话，何榕也根本不理不睬，好像她从来就不认识肖芳这个人一样。只是到了后来，两人都先后复员回到北京，偶然在同学聚会上见了面以后，两人这才勉强恢复了联系。何榕说肖芳

当时实在无法忍受军营的生活，直接找到董副军长要求复员，军长居然很爽快地就同意了。肖芳回到北京继续在一五零中上学，高中毕业后参加高考，上了北大法律系，接着又去英国，在牛津留学。“好像就是那个时候在伦敦遇见了她现在的老公，他还是个公爵呢。”何榕说。

“好像是，不过他们没有马上结婚。后来肖芳在芝加哥又读了一个 MBA，然后才回去英国嫁给了那位贵族。据说他经常带着肖芳和英国的皇亲国戚一起吃饭，比如黛安娜什么的。”

看到餐桌上大家脸上那种难以置信的表情，田地大声补充说：“哎，这是上次她回来的时候亲口告诉我们的嘛。记得我们几个人在北京一起见的面，梁歌在美国大使馆对面那个楼顶餐厅请她吃整个的烤牛头，怎么你们都忘啦？对了，那天晚上黄涛坐肖芳对面，盯着她看了老半天，最后说：‘不认识。像个新疆人。’”

“造谣，造谣。”在众人的笑声中黄涛连声否认。

“没错，当时我在场。这肯定是黄涛说的。”赵彬在一旁帮腔。

“你看看你学妹，梁歌。虽然你现在钱多得花不完，房子多得也住不过来，可那你也比不了肖芳。人家这是‘一步到位’，成公爵夫人啦！”晓伟调侃地说。

“她不行。她是北大法律专科毕业，当不了律师，OK？”

“那她的命运也比我们的好得多啊。提前复员，回一五零中复读，结果正好赶上高考。那时候我们几个还傻不棱登地在云南疯玩儿呢。今天苍山，明天洱海的，玩儿得真是不亦乐乎。结果可好，把正事儿全给耽误了。等我们复员回到北京，完全错过了高考的年龄。一九七九年大学还从社会上招收一些人，可是人数很少，到了一九八零年大学就只招收应届毕业生了。”章婕遗憾地说，“眼看着大学的校门在我们面前‘咣当’一声就关上了。这下没有办法啦，只好上电大、夜大。就差这么一步，我们的地位就同以前的工农兵大学生差不多了。毕业分配工作，那些七七、七八级的把好工作的位子全给占了，根本没有我们什么事儿了。”章婕越想越觉得亏，“哪儿像你们男排的，当兵，上大学，好工作，好事全都让你们赶上了。”

其实她说得并不完全对。

一九七七年十月在太原吃完散伙饭不久，报纸上就正式宣布了在全国范围内恢复高考的消息。第二年春天球兵们一伙陆续复员回到北京，开始时并没有人想要参加高考。“在山西待了好几年，刚刚回到北京，还没好好玩儿哪，怎么会有心思复习功课呢？再说了，当时的大学毕业生是国家负责分配工作，分到全国各地的都有，这要是毕业后再把我们分到外地去，那不是太亏了吗？”

其实这不是邹峰一个人的想法，当时大家都是这么考虑的。“北京户口值钱，万一丢了，麻烦可就大了。”可是回北京住上一两个星期以后，他们的想法就慢慢地变了。“身边的人都在紧张地复习功课，应届毕业生、老三届，还有七七年没考上的，全都在准备考试，想找一两个过去的同学打打球都困难了。”鲁圣说。

在这种气氛的胁迫下，这群复员的球兵才决定先复习一下功课再说，复习好了就参加考试，考好了就上，考不上国家还是照样分配工作。至于那个北京户口，听说国家会考虑毕业生的工作志愿，尽量让大学生回原籍工作。

就这样，大家关起门来猛一阵复习，结果鲁圣考上北体大，书第上了师院体育系，晓伟进了新闻学院，邹峰在北京经济学院，田地去了北师大。“梁歌丫的居然考上了北京大学。”邹峰不服气地说。

“看看，看看，闹了半天还是我最牛！以数学四十三分的优异成绩考上北大，而且还是法律系，田地丫才考了三十六分。”说完梁歌大笑起来，紧接着又赶快对身边的人说，“去去，你们都离我远点儿，用不着你们扶我哈。”

参加七十年代最后三年的高考，对很多年轻人来说是他们当时的最好出路，如果不是唯一出路的话。那时候“书中自有吃住行”的观念仍然深深地根植在人们的潜意识中，正如《劝学诗》所言：

富家不用买良田，书中自有千钟粟。
安居不用架高堂，书中自有黄金屋。
出门莫恨无人随，书中车马多如簇。
娶妻莫恨无良媒，书中自有颜如玉。
男儿若遂平生志，六经勤向窗前读。

如果不事先说明这首诗出自一千多年前颇具文学才能的宋真宗赵恒之手，一定会有人认为这是一百年前胡适先生写的白话诗。这诗语言通俗，说理明确，布衣百姓一看就懂，心悦诚服。千百年来华人总是以勤读书为首务，这首诗的作用可以说功不可没。哪怕是在根本无学可上的“文革”时期，很多人，特别是那些上了年纪、受过正规大学教育的人，都认为这是至理名言。闫指导员母亲那样的农村妇女会这样想，体校的教练也这样认为。一九七三年全国中学生排球比赛之后，北京市政府对这些小运动员给予特殊优待，让他们可以自己选择继续上学读高中，或者是去传授特殊技能的中专技校。很多孩子选择了读技校，因为技校毕业可以进工厂，留在城里，不用再担心上山下乡。受过高等教育的林教练不这么看，他力主上高中，继续读书，准备以后上大学。他当年说这话时的语气非常肯定，好像这是明摆着的事实，毋庸置疑。实际情况根本就不是这么一回事，“文革”时期高中之后上大学是一条完全走不通的绝路。从一九七零年开始按照毛泽东的教育改革思路，就是所谓“七二一指示”，不仅大中学校毕业生要到工厂、农村和部队接受“再教育”，就是大学新生也是直接从工厂、农村和解放军战士中招收，实行“基层推荐，领导批准和学校复查相结合”的招生办法，那些有幸被选拔上大学的工农兵就是后来所谓的“工农兵大学生”。

田地他们几个队员天真地听信了林教练的话，放弃去技校，选择了上高中，结果呢？幸亏有了这个参军的机会，才使得他们逃脱了到农村安家落户的命运。

可是命运真是难以预测。明明已是“山穷水尽”，不久却又“柳暗花明”。在部队实施精简整编的同时，邓小平在一九七七年夏天在人民大会堂召集科技教育座谈会，特邀前来参加会议、连个教授头衔都没有的“小字辈”温元凯举手要求发言。他大胆地对邓小平说，当前教育界最重要的问题是恢复考试，否则根本无法保证学生质量，教学质量也无从谈起。他在发言中还勇敢地提出了“自愿报名，领导批准，严格考试，择优录取”的招生方针。邓小平听后立刻当众表态，说“第二句话，‘领导批准’，可以拿掉”。这样一来，出身、表现、政审等通通不再重要，考试成绩成了主要的录取标准。

这群球兵幸亏听了林教练的话，参军前受过一两年高中教育。复员后经过三四个月的紧张复习，辅导老师们就认为他们可以参加一九七八年的高考，结果他们真就达到了大学录取标准，纷纷被北京各个高校接纳。七七、七八级大学生被称为“天之骄子”，他们真可谓是“前无古人，后无来者”的一批幸运儿。林教练高兴地笑了。他的预言，就像赵恒的那首诗歌，再次被历史证明是正确的。

不过后来的社会发展也给那些没有参加高考的年轻人创造了很多机会，他们的人生依然精彩。“在职教育”和“用人制度改革”给那些错过了高考的青年人提供了选择自己人生道路的第二次机会。复员后黄涛被武装部分配到北京第二汽车制造厂，当了一名喷漆工。将近一米九的大个子，别人穿的蓝色工装几乎都要拖到地上，可是最大号的外套他穿上还没有垂过膝盖，在生产线上整天弓着腰像只大虾米，不仅同事笑话，自己心里也不痛快。用人制度改革让他有幸调入中国移动，在以后几年的工作中不断学习，现在俨然成了这个通讯大鳄的一名高级财务经理，经手的现金大大高出当年六十三军一年的军费。大成也没有参加高考。他喜欢捣鼓各种仪器，被分到北京第二手表厂，当热处理工。没干两年，赶上中国人民大学复校，他从科员干起，副科长、科长，现在成了一名处级干部，不仅管理学生，还参与管理大学教职员工。没有上大学的他，在大学里干得也很出色。

更有女排队员章婕，勇敢地选择了自己创业。先是成立了一家广告公司，“四处奔波寻找客户，有了客户还要帮他们出谋划策，宣传产品，召开新闻发布会”。在这个竞争激烈的行业里她渐渐有了名气，开始拓展业务，进入广告制品领域，制作各式各样的导向标示。如今她公司的产品遍布全国各地，“甚至深入地下，在地铁里也有我公司制作的路牌和各种标示。目前我的公司雇用了七八十名员工，大概相当于当年六十三军两个排的兵力了吧？”章婕骄傲地介绍说。

六十三军男女排有二十多名队员，其中只有两个人在选择人生道路上确确实实是“跟着感觉走”。完全凭着自己的爱好，当年想干什么，现在就干什么，一干就是三十年，从不回头。他们一个是梁歌，另一个是小唐子。梁歌从小就受邻居贾爷爷的影响，一门心思想当律师，在“无法无天”的“文革”时期，他也毫不改变自己的人生目标，八十年代在北大上学，留校教书；

九十年代出国深造，在芝加哥当律师。邓小平南行讲话后他果断地抓住历史机遇，回国创业。同当年一批北大学友如愿以偿地创建了自己的律师事务所，如今它已成为国内首屈一指的法律事务所。

在部队被人称作“黑牡丹”的小唐子，性格开朗，是个敢想敢做的姑娘。当年在昆明乘车去十一军，一路上都是盘山公路，不见头尾，小唐子始终坐在副驾驶位置上，专心致志地看司机开车。那时她就很喜欢开车，特别是开大汽车，还说复员以后一定要当一名专职司机。果不其然，她真的在北京开上了公共汽车，从北京的西南角一直开到东北方，早出晚归，一年到头不知道要把帝都的四九城压过多少遍。这次排球队三十年的聚会也正是因为鲁圣和赵彬刚好从体育大学上了她开的车，才有机会把女排队员找到一起。“结果还是没找齐，北京的还缺大陶，争取下次把她也找来。”小唐子笑着说，露出一口雪白的牙齿。

小唐子和梁歌是追梦的人，忠实于自己的梦想，按照自己的梦想生活下去，对自己的梦想忠贞不渝，结果过上了“梦寐以求的生活”。设想一下如果没有邓小平的第三次复出，还是按照华主席“两个凡是”的思路走下去，那么小唐子今天就是一名光荣的、处于领导地位的工人阶级，她的社会地位会远远高于从事法律工作的梁歌。梁歌呢，说不定也会像他那位贾爷爷一样被小唐子他们的工人阶级打成右派，接受监督改造，或者赋闲在家，搞一些没有人关心的税法研究。历史喜欢捉弄人。当年无上荣光的工人阶级，如今几乎成了社会的最底层。律师行业反倒风光无限，参与公司的并购、重组、上市，在社会上呼风唤雨，似乎这个社会没有律师就无法运转，就像当年没有公共汽车司机社会就会瘫痪一样。在这个翻天覆地的变革中，一下跌入谷底的远不止小唐子一人，在球兵这个群体当中还有像小孟这样的普通工人以及闫指导员和张教练那样的部队转业干部。

小孟复员后有幸进了“七一八”，那是个上千人的大厂，直接归国务院的第四机械工业部管辖。可是一旦社会转型进入市场经济，“国营工厂破产起来也快着哪！没两年就发不出工资来了。”小孟哀叹道。为了保住儿子的“铁饭碗”，小孟的父亲特意去找原广播局的老领导，请梅局长的太太帮忙，“毕竟她是四机部的局级干部，希望能有回天之力”。到头来仍然是回天乏术，工厂还是不可避免地破产了，工人被遣散回家。现在小孟在一家展览公司当工头，他的老板竟是三十八军男排的“大饼”。

“大饼成了你的老板，那他还不对你好点儿？多给你开工资？”田地同情地问。

“你想什么哪？你以为这是你们美国啊？中国老板黑着哪！‘杀熟’，这你懂吗？”大成不客气地反驳。

指导员的命运竟然同小孟的惊人的相似。听从邓小平的指挥，转业回到石家庄老家，指导员在一家国营工厂当书记。最初几年工厂效益还不错，工资高，福利也好，一家人过得和睦快乐。可是紧接改革开放而来的是“市场竞争”，这让市属国营企业立马无法应对，运营机制不灵，完全竞争不过私人企业。实在没办法，指导员只好跑到北京来找人帮忙，给工厂找个继续生存

的门路。依稀记得晓伟的父亲在一机部办公厅上班，指导员就硬着头皮登门求救。“结果我爸也没能帮上忙。那会儿国营企业破产的太多了，就是想帮也帮不过来。小孟他们工厂不是也破产了吗？而且他们还是四机部直属的千人大厂，那也是说完蛋就完蛋，工人一边儿歇着去。”

球队解散后张教练又回了他原来的山西省体工队。原本可以凭借他的专业技能和转业干部的工资过上一个安稳的晚年，偏偏赶上了住房改革。体工队要盖大楼房，张教练的那几间小平房需要拆迁，七搞八搞张教练竟成了一个“钉子户”。不管领导怎么劝说他就是不搬，一家人住的那个小房子被停水停电。即便在这种情况下，教练还是不肯换地方。没水，他每天提个小桶去马路上的水龙头接水；没电，他晚上点煤油灯，结果他这个对策上了太原电视台的晚间新闻，一下子成了市里的名人。

教练、指导员和小孟原本选择的是一种在社会主义制度下最可靠的生活方式——在国营单位上班，有稳定的工资收入，有公费医疗，到了一定年限就会从单位分到住房，平平安安，稳稳当当。只是没有想到，几年之后他们三人的工作和生活变得极不稳定。原单位没有了，工资成了社保，看病要钱，住房也要自己购买。可是小孟的复员费统统加起来都不到一百元，指导员和教练的转业安置费也就是一千多块。报纸上电台里连篇累牍地宣传市场经济是大潮，人们要在里面学会游泳。扑腾了几年下来，人到中年的小孟勉强能够浮出水面，已过花甲的指导员和教练早已沉入水底。尽管现实生活对他们如此不公平，可生活准则在他们的心中却始终没有变化。他们仍然遵循做人的基本道理，讲仁义，懂礼数，认天命。像张教练那样敢于对权势进行抗争，说到底不过是一种自残，到头来吃苦受罪的还是他自己和家人。

几年的球兵生活毫无疑问对鲁圣、赵彬、书第和老郝有最直接的影响。鲁圣和书第毕业后成为体育教师，他们的学生遍天下。除了教学以外鲁圣还承租了很多学校的体育场馆，举办各种活动和比赛，甚至也承租了邹峰所在的大学的体育馆。不再打排球之后赵彬一直留在北京军区从事体育管理工作，退休前被授予文职三级，相当于大校军衔。老郝复员后继续他的排球生涯，成为中国第一支沙滩女排的教练。第七届全运会后山西政府决定解散足篮排三大球队，恰在这时国家体委排球处的周晓兰处长向老郝提到沙滩排球很快要被列入奥运会项目，同时还问他能否先在山西省组建一支队伍。老郝当即给省体委打报告，多次找到省体委的申维辰主任，最后体委批准由老郝负责组建女子沙滩排球队。一九九四年一月八日中国第一支女子沙滩排球队在太原正式成立，同时在山西省体工队大院修建了中国内陆第一块沙滩排球场。从此以后老郝带领中国沙滩女排走南闯北东挡西杀，奋勇夺得在曼谷举行的亚运会沙滩女排冠军，成为在这一领域当之无愧的专业教练和中国沙滩女排运动的开创先锋。

在部队吃一锅饭、睡一张床，接受同样的训练，打同一场比赛，一年三百六十五天天天在一起，可是当回忆起部队的生活时球兵们的记忆却又这么不同。邹峰说："部队三年最有纪念意

义的时刻是第一次穿上军装时。”那天他在原平大街找了家照相馆，拍了标准像。照片洗印出来后，他抑制不住地兴奋。“你知道吗？能够参军在当时是一件多么值得骄傲的事情，偏偏让我赶上了！”邹峰记得穿上军装后第一次进原平县城看电影，有个比他小不了几岁的小姑娘见了他居然叫了声“解放军叔叔好！”“当时我心里这个美哟，那甜蜜的滋味到现在都记得，可电影的名字我早就没印象了。”排球队里很多人抱怨发的军装是两个兜的士兵服，邹峰对此倒没有太多想法。他平时总是戴着一副“黑秀郎”眼镜，这在普通战士当中绝无仅有，所以在进出军营大门时不时地被卫兵敬个持枪礼。“这让我心里或多或少得到些满足和安慰，也就不在乎身上穿的是几个兜的军装，只当我的眼镜是干部服上的另外两个兜了。”

书第最珍贵的回忆是他在部队的最后一天。在繁峙他听说排球队员大都复员了，和他在一个团的黄涛和靳华也走了。“我忽然感觉自己好孤单，一种从未有过的孤独，其中还夹杂着一些伤感。”他向连里正式提出复员请求。营里和团里都不批准，连长和指导员分别找他谈话，做他的思想工作。书第那时已经铁了心要回家，为了能够复员他干脆绝食一天。最后连长没有办法，跟他说：“看你这一年干得不错，不然非给你个处分不可！”书第复员离开连队的时候已经是四月初了，大规模征兵和复员工作已经基本结束。“走的那天有半个连的战友步行去火车站给我送行，这让我非常感动。那时候我们都年轻、单纯，相互之间没有利害关系，那种感觉真好。”

田地努力想用一句话来概括他在部队的三年生活，想来想去还是觉得妈妈说的“变野了”这三个字最贴切。那天在饭桌上田地第一次听到这个评价，觉得妈妈说得挺有意思，心里也挺高兴，认为男孩子嘛，变野点儿好，否则就像个大姑娘了。“现在仔细回想起来，‘变野了’这三个字其实是妈妈对我三年部队生活的一个总结，它远比什么‘长大啦’、‘有出息了’更准确，更生动，也更能说明问题。”

令人不解的是女排队员中没有一个人愿意对当兵的岁月进行一番总结。对此章婕的解释是：“女人看问题的角度不一样。男人是要有故事的，也喜欢讲自己的故事，有时候连隐私也不顾了，吹得天花乱坠，这大概是男人成熟的标志。可是男人绝对不会喜欢故事多、思想复杂的女人。故事多的女人复杂、世故、不招人喜欢。所以我们女人会把自己的心事深藏在心里，甚至连日记都不写，就是写了日后也要把它烧掉，为了以后少找麻烦。”

一般而言，当人步入中老年，他的人生经历越丰富，对远去的东西就越会渐渐淡化，不仅是对当年经历过的苦难，哪怕就是当年享受过的幸福也是如此，关注眼前的生活是绝大多数人看待世界的基本点。对过去的苦与乐究竟是放大还是缩小，是采取不断地回味还是一味地加以拒绝，这是受当事人眼下的生活处境的影响的。如果他成功了，在回忆过去的时候会无意中带上一种满足的心理，曾经是负面的东西也会大大地减弱，甚至会认为这些都是构成后来成功的必要因素，他的回忆因此会带有一点甘甜的

味道。因为他心思淡了，事情过去了，剩下的就是一个抽象的过程。就好像年轻的时候吃不饱肚子，饥饿难忍，一旦找到一点吃的东西，就会认为是人间美味。现在吃饱肚子成了一件极为容易做到的事情，饥饿感反而成为一种稀罕之物，此时人想到的都是饿极了以后有吃的有喝的那种快乐，而饥饿本身甚至可以成为一种吹牛的资本。肉体的痛苦过去了，就不再折磨人了，剩下的只是抽象的心理感受。

可是目前生活状况极差的人，他对过去的生活，特别是对年轻时吃过的苦，会自然地带上一种苦不堪言的味道，正如鲁迅笔下的祥林嫂，生活对她来说已经苦到了无以复加的地步。

任何规律都有例外，这些例外恰恰证明了规律的真实存在。小文复员后的生活很优越，他在部队刻苦学习英语，后来派上了大用场。凭着出色的英语技能，他成功地应聘了一家英国公司，主要工作是给那些被派到北京来的经理人员提供各种翻译服务和业务咨询。他经常到国外出差或者休假，工资收入丰厚，可以毫不费力地供养他的独生子在英国学习建筑，费用全部自理。不过每当人们提起部队生活，小文就立刻联想起他在高炮营掏大粪的经历。“每次从粪坑里爬出来，手上脚上甚至脸上都沾满了粪便，这时倒也觉得自己受到了一些锻炼。经过了这种锻炼，复员以后遇到更严重的困难和挫折好像也能挺得过去，看到一些人或者遇到某些事情，也都知道应该如何应对。但是这个所谓的‘锻炼’太痛苦，我不想通过这种锻炼来提高自己，更不会让我儿子去接受这种锻炼。部队不是锻炼人的好地方，因为它很不合理。部队把一个大活人变成了机器，甘心受人操纵，所以到现在我也完全不喜欢部队的生活。”

小文的这种心理就像是失恋，是一种心苦，是心痛，而不是简单的肉体痛苦。当年小文那么渴望当兵，对部队生活满怀憧憬，一旦碰到冷酷严峻的现实，玫瑰色的梦想即刻破灭，好像一下子失去了迷恋已久的情人，在心灵深处留下了不可磨灭的创伤。尤其是年轻时受过的这些痛苦会更加刻骨铭心，以后遇到相似情境，就会引发当初的痛苦感受，这就好比“一朝被蛇咬，十年怕井绳”。人在青少年时遭遇的某些痛苦可能会给他留下深刻的情结，进而发生精神上的冲突和分裂。人们在回忆往事的时候有所谓的“不堪回首”，更有人会有意无意地隐瞒、忘却某些事件。

尾声

时间：二零一七年十月二十号

地点：六十三军排球队微信群

专家学者认为，对往事的回忆不可能都是甜美的，假如有人能把往事的回忆通通变成甜美，变成享受，这说明他有点金术，有好性情，他乐天通达。在排球队微信群里，我看到下面这一段聊天记录，读后可以从中感受到球兵们的乐天通达的好性情和他们之间的真挚感情。

宣明：何榕，复员后我去过两次北京，我还去过你家，记

得吗？

何榕：真的不记得了。这是哪年的事情啊？

宣明：就是你和小唐子还都是单身的时候啊。

田地：呵，看来宣明兄是从山西一直追到北京，可惜，到底还是没有追上啊。

肖芳：讨厌！田地就对这个话题感兴趣。

宣明：说得对，这个是田地的电影题材，把它写成一本小说也可以。我那时来北京就住在北师大田地同学的宿舍里，好像就是我们当年在那里进行赛前训练的那个楼。

田地：当年训练我们也是住在西北楼吗？我就记得那时候你曾经让我复员后争取到北师大来上学，这可真是一语成谶啊！

宣明：当年你学习很努力，骑辆自行车到各个大学去听课。后来你听说我在法院工作，就一个劲儿追问我中国法治方面的问题，被你追问急了，我就说这里搞的是“习惯法”，其实就是没有法，有法也不依。

田地：这个印象不深了。

宣明：我在北京的时候，北京的哥们儿还请我吃饭。梁歌和邹峰他们几个人影响了我一生。其实应该说六十三军男女排的各位队员们对我影响太深了，和你们在一起的那些日子我学会了很多东西，一生受用。结婚以后有了孩子，我就下决心一定要把他送到北京去上学。

何榕：你太谦虚了，我们这么多人聚在六十三军排球队，这是咱们前生就有的缘分啊！咱们是互相学习，互相影响，互相仰慕，互相关心，互相玩笑，这段生活无人能比，而且无法忘却，多美好啊！

宣明：何榕，我真的很想念你们。小唐子还那样温柔吗？记得在北京我坐过小唐子开的公交车，我在她的车上坐了整整一天。

小唐子：有这事，你记性真好。

宣明：后来“八一”建军节，咱们俩在北营喝酒，结果我喝多了。你知道你当时说的什么吗？

小唐子：我说什么了？

宣明：你说我要是一口喝下这碗白酒，你就叫我一声“哥”！

何榕：后来呢？你真喝了？小唐子叫了吗？

宣明：我当然喝了，她也真叫了，结果我醉了。这一声“哥”可是有代价的啊。小唐子不知道，为了她这声“哥”，我在医院输了三天液。

田地：我X！这是多么深厚的革命军人感情啊？！小唐子你欠宣明哥太多啦！

何榕：就是啊，小唐子你再叫一声吧。

小唐子：宣明哥！

宣明：不是这样的。小唐子一点儿也不欠我的，你们北京这帮朋友对我太有帮助了，我从你们身上学会的太多了。我们这是在特殊的年代和特殊的背景下，一群具有特殊个性的年轻人被关联在一个特殊的环境里，结果发生了一系列特殊的感情经历。

田地：不过她还是欠！下次见面小唐子要喝三大碗白酒，高度的哈。

宣明：别，别，不是那个年纪了，现在咱们都要健康第一了，不能再那么蛮干了。

何榕：看来下次见面真的要好好喝一顿酒啦，不过宣明你未必能喝得过小唐子哟。

宣明：别闹。我知道喝不过她，那时候喝不过，就永远喝不过了，不过我还是一往无前。

何榕：宣明早点休息吧，我明天要早起出门，回头再聊哈，晚安！

宣明：何榕晚安。

马志：你们说的这些对我来说就像天书似的。我怎么就不知道咱们军还有个女排啊？我只知道有个田径队，有肖芳，还有田地为她打架的事情，哈哈。

肖芳：该知道的你都不知道！

马志：唉呦唉呦，骂疼我了。不过你们几个可真能聊啊。梁大律师今儿没露面，肯定他又喝多了。

梁歌：来了来了，我刚喝完，庆祝我代理的乔丹案子取得初步胜利。不过，今天这群里太热闹啦。

马志：梁歌，把你的客户再吹大点儿。

梁歌：再大你也不认识啊？三大男高音你听过吗？滚石乐队你知道吗？这都是我的客户，OK？

肖芳：别理他！歌儿，少喝点儿酒哈。

梁歌：没事儿，我这是借机假装过生日。

肖芳：你几月生日啊？

梁歌：十二月，我每年都在夏威夷过。你们大家都来吧，我管吃管住，还有法国陈酿红酒和正宗古巴雪茄伺候哟……

后 记

感谢

经过一年多的共同努力，《球兵》这部长篇纪实小说终于完成了。在此书交付印刷之际，六十三军排球队的各位男女队员向军里的各位直接领导和教练员表示感谢，他们是：李新宇干事，王黎明干事，闫振清指导员，女排王振刚领队，郭伟指导和去世不久的男排张广文教练。

队员们向北京市相关中学的体育老师和体校的排球教练员们表示衷心的感谢，没有他们的谆谆教导和精心培养，就没有队员们这一段无比珍贵的共同生活，就没有他们人生当中这一段特殊的旅程，为此全体队员在这里向各位老师和教练员致以崇高的军礼！

这些老师和教练员是：

北京三中：马昆刚和张元杰老师

北京四十四中学：元均和郭西圆老师

北京六十五中学：崔颐昌老师

北京二龙路中学：闫庆荣和季泽华老师

北京日坛中学：蔡晓星老师

北京实验中学：董淑兰和夏克若老师

北京什刹海体校：宗风云、林鹤亭、张常青、张贺明和姚润章教练

北京西城区体校：刘琦教练

北京朝阳区体校：郭秀华和戴振方教练

同时，排球队员们非常感谢“逸格时代文化传媒公司”对本书所做的市场推广工作和该公司鞠磊设计师为本书精心制作的封面和封底。

作为本书的执笔人，我应该说这部小说是六十三军男女排球队员共同努力的结晶，他们对此书表现出来的热情尤为可贵，特别是女排队员何榕、章婕和冰馨等人对女兵们的生活提供了大量生动真实感人的细节，在此我对她们的热情帮助表示衷心的感谢。

同时我还要感谢上海复旦大学社会学系于海教授、中央民族大学历史系姚念慈教授和纽约心理治疗医生 Dr. Robert Luttrell 先生及夫人对此书给予的热情关注和耐心帮助。

最后，作为本书的作者，在这里对我家的葡萄、苹果和美丽果树表示衷心的感谢，没有她们的理解和支持，这部书稿不知道

还要拖到什么时候才能完成。

二零零六年六月初稿于北京

二零一八年八月完稿于纽约

二零一九年四月定稿于长岛